ALFAGUARA
INFANTIL

ANGELA
SOMMER-BODENBURG

El Pequeño Vampiro
y el paciente misterioso

Título original: *DER KLEINE VAMPIR UND DER UNHEIMLICHE PATIENT*
http://www.AngelaSommer-Bodenburg.com
© 2000, Rowohlt Taschenbuch Verlag GmbH, Reinbek bei Hamburg
© De la traducción: 1989, José Miguel Rodríguez Clemente
© De esta edición: 2003, Santillana Ediciones Generales, S. L.
Torrelaguna, 60. 28043 Madrid
Teléfono: 91 744 90 60

• Aguilar, Altea, Taurus, Alfaguara, S.A. de Ediciones
Beazley, 3860. 1437 Buenos Aires. Argentina
• Editorial Santillana, S.A. de C.V.
Avda. Universidad, 767. Col. Del Valle
México D.F. C.P. 03100. México
• Distribuidora y Editora Aguilar, Altea, Taurus, Alfaguara, S.A.
Calle 80, nº 10-23, Santafé de Bogotá. Colombia

Edición: Elena de Santiago
Dirección técnica: Víctor Benayas
Diseño: María Jesús Gutiérrez y Beatriz Rodríguez
Maquetación: M. G.

ISBN: 84-204-6614-X
Depósito legal: M-12.211-2003
Printed in Spain - Impreso en España por
Rógar, S. A., Navalcarnero (Madrid)

Este libro es para Burghardt, quien comparte todos los secretos conmigo, para Katja y para todos los grandes y pequeños vampiros.

ANGELA SOMMER-BODENBURG

ANGELA
SOMMER-BODENBURG

El Pequeño Vampiro

y el paciente misterioso

ILUSTRADO POR AMELIE GLIENKE

Personajes

A **Anton** le gusta leer historias emocionantes y espantosas, especialmente, las de vampiros, de cuyas costumbres está totalmente al corriente.

Los **padres de Anton** no creen del todo en los vampiros. Su padre trabaja en una oficina y su madre es maestra.

Rüdiger es el pequeño vampiro desde hace al menos 150 años, y es pequeño porque se convirtió en uno de ellos cuando era niño. Anton le conoció un día en que se encontraba solo en casa. Anton temblaba de miedo, pero el pequeño vampiro le aseguró que ya había «comido». Es más, le cayó muy bien después de que Rüdiger le confesara su predilección por las historias de vampiros y su temor a la oscuridad. Por si fuera poco, Rüdiger regaló a Anton una capa, y juntos volaron hacia el cementerio y la Cripta Schlotterstein. Desde ese momento, la monótona vida de Anton se transforma y se vuelve emocionante.

Anna es la hermana de Rüdiger…, su hermana «pequeña», como a él le gusta resaltar.
Pero Anna es casi tan fuerte como Rüdiger, sólo que más valiente y decidida. También a ella le gusta leer historias espeluznantes.

Tía Dorothee es la vampiresa más sanguinaria de todos. Encontrarse con ella después de ponerse el sol puede resultar mortalmente peligroso.

Lumpi el Fuerte, hermano mayor de Rüdiger, es un vampiro muy irascible. Su voz, a veces grave, a veces chillona, demuestra que él se encuentra en los años de crecimiento. Lo único malo es que no saldrá nunca de este difícil estado, porque se convirtió en vampiro durante la pubertad.

Geiermeier y Schnuppermaul.
El primero es el guardián del cementerio; el segundo es el jardinero. Los dos persiguen a los vampiros.

Jürgen Schwartenfeger es psicólogo. La madre de Anton espera de él que cure a su hijo de la «obsesión» que tiene por los vampiros. Lo que ella no sabe es que el señor Schwartenfeger también siente un gran interés por ellos, ya que ha desarrollado un programa de aprendizaje para ayudar a la gente a superar sus fobias y quiere experimentarlo con algún vampiro.

Igno Rante es el primer paciente del señor Schwartenfeger que participa en el programa de aprendizaje. Anton duda que sea realmente un vampiro: Igno Rante tiene el aspecto de un vampiro, pero siempre llega a la consulta antes de la puesta del sol.

Rapto de menores

—¿Y tengo que ir realmente al *picoloco?* —preguntó Anton, sentado en el asiento trasero del coche y poniendo un gesto huraño.

—¡Sí!

Su madre le miró por el espejo retrovisor y se rió…, con una risa bastante artificial, según le pareció a Anton.

Probablemente el señor Schwartenfeger, el psicólogo al que Anton tenía que ir aquel día, le habría aconsejado que se mostrara de buen humor y no se dejara sacar de sus casillas por nada.

—¡Pues yo no sé para qué tengo que ir al *picoloco!* —gruñó Anton.

—A él le gustaría charlar contigo —contestó su madre.

—¿Charlar? —dijo furioso Anton—. ¡Lo que quiere es sonsacarme, exprimirme, interrogarme!

—¡Pero Anton! Me parece que tú has visto demasiadas películas policiacas.

—¡No, he visto demasiado pocas! —repuso Anton rechinando los dientes—. Si no, sabría qué es lo que se puede hacer en caso de… ¡rapto de menores!

Pero, en lugar de enfadarse, su madre solamente se rió y preguntó:

—Pero ¿qué es lo que tienes tú en contra del señor Schwartenfeger?

—¡Nada, absolutamente nada —dijo Anton—, siempre que me deje en paz!

—¡Ahora estás siendo injusto, Anton! ¡Después de todo fue el señor Schwartenfeger quien tuvo la idea de las «vacaciones-acción» en el Valle de la Amargura! Y tú mismo has dicho que las vacaciones te han gustado…, aunque hayamos tenido que volvernos una semana antes por el problema de la mano de tu padre.

—Bueno, sí… —admitió Anton—. Las vacaciones han estado bastante bien. («¡Gracias a Rüdiger y a Anna!», añadió en sus pensamientos, aunque prefirió guardárselo para sí). ¡Y por eso no entiendo para qué tengo que ir al señor Schwartenfeger —dijo— ahora que las vacaciones se han terminado!

—¡Quizá quiera hablar contigo precisamente de las vacaciones!

—¿De las vacaciones? —dijo asustado Anton—. ¿Y eso por qué?

¿Acaso se habrían dado cuenta sus padres de que Anton se había visto en el Valle de la Amargura con sus mejores amigos, el pequeño vampiro, Rüdiger Von Schlotterstein, y su hermana Anna? ¿Le habrían contado acaso sus sospechas al señor Schwartenfeger? ¡No! ¡Si realmente sus padres se hubieran enterado de algo, le hubieran pedido inmediatametne explicaciones a Anton!

—¿Por qué eres siempre tan desconfiado? —repuso la madre de Anton—. Tú simplemente espérate a ver qué es lo que quiere hablar el señor Schwartenfeger contigo.

—¿Que me espere? —gruñó Anton—. Me apuesto lo que sea a que tú sabes perfectamente qué es lo que quiere de mí. ¡Seguro que has sido tú quien le ha llamado por teléfono!

Su madre volvió a reírse.

—No, quien ha hablado con él por teléfono ha sido papá. Y si te empeñas en saberlo, te diré que papá está preocupado por las vacaciones. Al fin y al cabo las vacaciones juntos con tienda de campaña y saco de dormir eran tu regalo de Navidad. Y como las vacaciones sólo han durado la mitad de lo previsto por la historia de la mano herida, papá cree que a lo mejor eso te ha podido producir un... daño psíquico.

—¿A mí? ¿Un daño psíquico? —dijo Anton riéndose irónicamente para sus adentros—. Es posible —añadió, ¡con la esperanza de conseguir un par de regalos como compensación!

¡Pero, por lo menos, Anton ahora estaba, en cierto modo, tranquilo por lo que se refería a la visita al psicólogo!

COLIFLOR

—Por cierto…, me gustaría ir yo solo —declaró Anton cuando su madre se detuvo ante la gran casa en la que tenía su consulta el señor Schwartenfeger.

—¿Tú solo? ¡No sé yo si será una buena idea!

—¿No creerás acaso que me voy a perder?

—Podrías equivocarte de camino intencionadamente…

—¿Intencionadamente? ¿Qué quieres decir con eso?

—Bueno…, podrías no ir a la consulta del señor Schwartenfeger, sino a la heladería de allí enfrente.

—No, gracias —repuso Anton mirando con desagrado hacia el café del otro lado de la calle, en el que ya había estado una vez (después de la primera visita al psicólogo)—. El helado que hacen allí no me gusta… Y además: ¡no tengo dinero! —añadió lanzando una indirecta.

—Bueno, si se te ha metido en la cabeza ir solo… —dijo ella—, entonces te recogeré aquí dentro de una hora.

—¿Qué? —exclamó indignado Anton—. ¿Tanto tiempo voy a tener que estar en el psicólogo?

—¡Sí, ése es el tiempo que dura normalmente una entrevista! —contestó ella.

Y luego, sintiéndose evidentemente culpable, echó mano de su monedero y le dio dos marcos a Anton.

—Toma —dijo ella—. Si no te gusta el helado, te puedes comprar una rosca de pan salado…, pero sólo *después* de la entrevista.

—¡Gracias! —dijo Anton agarrando el dinero.

Con una risita irónica se bajó del coche y desfiló hacia la casa.

—Una hora… —suspiró.

Quizá hubiera debido dejar que fuera también su madre… Así, por lo menos, ella habría hablado algo con el señor Schwartenfeger.

En el portal olía a coliflor. ¡Brrrr! Anton se estremeció y, apresuradamente, para escaparse de aquel olor, tocó el timbre de la puerta que tenía un cartel que decía: «Jürgen Schwartenfeger. Asesor Matrimonial. Terapia Infantil».

La señora Schwartenfeger, una mujer oronda con un peinado pasado de moda, le abrió y dijo sorprendida:

—¿Ya estás aquí, Anton? Tu consulta no es hasta dentro de media hora… Pero entra. ¡Puedes quedarte mientras tanto en la sala de espera! Es que todavía estamos comiendo.

Anton entró y supo en aquel mismo momento qué era lo que había para comer: coliflor…

Lanzó un suave suspiro y, conteniendo la respiración, siguió a la señora Schwartenfeger hasta la sala de espera.

¡Salvad el viejo cementerio!

En cuanto la señora Schwartenfeger se marchó, Anton corrió hacia la ventana y abrió las dos hojas de par en par.

¡Tenía que ser precisamente coliflor! Anton comía sin rechistar coles de Bruselas, colinabos e incluso espinacas... ¡Pero con la coliflor su estómago se ponía en huelga!

Sus padres, que consideraban la coliflor una verdura especialmente sana, lo sabían y sólo ponían coliflor cuando Anton no estaba en casa; por ejemplo, cuando estaba de viaje con su clase.

Viaje con la clase... Mientras Anton se asomaba a la ventana y respiraba profundamente pensó en lo que, radiante de alegría, había anunciado aquella mañana su profesora: había obtenido la promesa del... (¿cómo se decía?)... albergue escolar campestre, de que ya nada podría impedir el viaje de la clase en otoño...

Todos habían gritado de alegría... Todos menos Anton. ¡Sí, si pudiera convencer al pequeño vampiro de que fuera con él, sería un divertido viaje con la clase!

Pero seguro que Rüdiger no tenía ningún interés en volver a dejar tan pronto su cripta. ¡Cómo iba a tenerlo si acababa de regresar con su familia de las ruinas del Valle de la Amargura!

Los vampiros habían tenido que huir hasta allí porque el guardián del cementerio, Geiermeier, y su ayudante Schnuppermaul habían empezado a «embellecer» la parte vieja del cementerio y, con ello, se habían acercado peligrosamente a la Cripta Schlotterstein.

De todas formas, ahora las obras se habían detenido... gracias a una iniciativa ciudadana llamada ¡*Salvad el viejo cementerio!*, de la que Anton había oído hablar por primera vez en el Valle de la Amargura... Aquella noche antes de su partida, cuando estaba con Anna en el sótano del castillo en ruinas probándose el viejo traje y apareció de repente tía Dorothee.

Anton había conseguido salvarse de tía Dorothee metiéndose en el gran baúl negro... y desde dentro del baúl había podido oír cómo tía Dorothee informaba que la iniciativa ciudadana *Salvad el viejo cementerio* había reunido cuatrocientas firmas contra las obras de renovación.

Entretanto el penetrante olor a coliflor había desaparecido y Anton estaba tiritando de frío en la ventana abierta de par en par. Volvió a cerrarla y fue hacia la mesa baja que había en el centro de la sala de espera y que estaba repleta de revistas y de hojas... ¡Probablemente propaganda de pastillas tranquilizantes!

Con bastante indiferencia su vista fue a parar a una de aquellas hojas... y Anton estuvo a punto de pegar un grito por la sorpresa. Con letras negras y gruesas ponía allí lo siguiente: «¡Salvad el viejo cementerio!». Temblando de emoción Anton empezó a leer:

¡Ayude a conservar el viejo cementerio! ¡No permita que el cementerio más bello y más antiguo de nuestra ciudad sea destruido por iracundos fanáticos!

¡Participe en nuestra iniciativa ciudadana *Salvad el viejo cementerio*!

¡Ayúdenos con su firma!

Para más información diríjase a: J. Schwartenfeger. Teléfono: 48 12 18.

Cuando Anton terminó de leer aquel llamamiento tuvo que sentarse de tan desconcertado y perplejo como se encontraba.

—J. Schwartenfeger…, ¿será el psicólogo?

Anton recordaba haber visto en el letrero de la puerta un número de teléfono. Se acordaba perfectamente de que empezaba por 48.

Y el señor Schwartenfeger se llamaba Jürgen.

Luego, de pronto, a Anton le vino a la memoria otra cosa: tía Dorothee había aludido en el castillo en ruinas a un «informador», a quien dijo que sólo hacía falta llamar por teléfono. Cuando Anna le preguntó que quién era aquel informador, ella sólo contestó enigmáticamente: «Cepilla el tocino» y «da la vuelta a la corteza».

—Cepilla el tocino… —dijo Anton para sí en voz baja… y de repente tuvo la sensación de estar muy cerca de la solución del enigma: «tocino»… era casi igual que «chicharrones»… y en lugar de «cepillar» se podía decir «lustrar».

—Lustra los chicharrones… ¡Schwartenfeger!* —exclamó Anton con la voz ronca.

¡El señor Schwartenfeger era el informador de tía Dorothee! ¡Seguro que ella había encontrado una de sus hojas y había llamado al número de teléfono que ponía.

---

* *Schwartenfeger* significa literalmente «lustrachicharrones». *(N. del T.)*.

¡Sí, así tenía que haber sido!

Anton leyó otra vez el llamamiento.

¡Ayude a conservar el viejo cementerio!...

¿Sería aconsejable hablarle al señor Schwartenfeger de la iniciativa ciudadana y pedirle más información?

Entrevista con el señor Schwartenfeger

En aquel momento se abrió la puerta de la sala de espera y la señora Schwartenfeger miró hacia donde estaba Anton.

—Ya hemos terminado de comer —explicó—. ¡Mi marido te está esperando!

Anton dobló apresuradamente la hoja y se la guardó en el bolsillo del pantalón. Luego se puso de pie y siguió a la señora Schwartenfeger por el pasillo, que aún apestaba a coliflor. Tosió ostentosamente... y se quedó aliviado cuando comprobó que en la sala de la consulta del señor Schwartenfeger sólo olía a muebles viejos y enmohecidos.

El señor Schwartenfeger estaba sentado como en un trono detrás de un gigantesco escritorio, encima del cual se hallaban esparcidos todos los papeles y libros posibles. Cuando Anton entró, él hizo un gesto amable de asentimiento y le señaló la silla que había delante de su escritorio.

Anton tomó asiento. El desorden que había encima de la mesa y el hecho de que el señor Schwartenfeger no llevara bata blanca, sino un jersey viejo y unos desgastados pantalones de pana, habían logrado que a Anton, ya en la primera visita, le cayera simpático… ¡Todo lo simpático que a Anton le podía parecer un psicólogo!

Pero quizá el señor Schwartenfeger no fuera en absoluto un típico psicólogo… Anton se acordaba del curioso programa didáctico que había desarrollado y que, según el, ayudaba en casos de miedos especialmente fuertes.

Y aquel programa didáctico lo quería experimentar el señor Schwartenfeger imprescindiblemente en vampiros, pero Anton había afirmado que él no conocía a ningún vampiro.

—Bueno, Anton, ¿cómo tan pensativo? —preguntó ahora el señor Schwartenfeger.

—Humm, sí —dijo Anton.

—¿Estás pensando en vuestras vacaciones?

—¿En las vacaciones?

Anton titubeó. Realmente él quería haberse quejado de los absolutamente inútiles regalos de Navidad (la tienda de campaña y el saco de dormir) que, después de todo, tenía que agradecérselos al señor Schwartenfeger.

Pero después de haber leído la hoja sus pensamientos sólo giraban en torno a la iniciativa ciudadana… y el papel que en ella jugaba el señor Schwartenfeger.

—¿Te han gustado las vacaciones? —preguntó el señor Schwartenfeger al ver que Anton se callaba.

—Bueno, sí… —dijo Anton pensando en cómo podía hacer, de la manera menos llamativa posible, que el tema de la conversación pasara de las vacaciones a *Salvad el viejo cementerio.*

Aquello, sin embargo, era más difícil de lo que Anton había pensado.

Y es que el señor Schwartenfeger parecía estar interesadísimo en todo lo relacionado con sus vacaciones en el Valle de la Amargura. A base de monosílabos y secamente, Anton le informó de lo que había hecho... y como, por supuesto, se calló lo de sus salidas con los vampiros, no hubo demasiado que contar. Cuando terminó, el señor Schwartenfeger dijo que parecía que estaba bastante decepcionado con las vacaciones.

—¿Decepcionado? —repitió Anton.

¡Si no sacaba ahora el tema de la iniciativa ciudadana, se pasaría la hora de consulta sin haber podido averiguar nada!

—Hubiera preferido quedarme aquí —dijo.

—¿Y eso por qué? —preguntó el señor Schwartenfeger.

—Por..., por el asunto del viejo cementerio...

Anton carraspeó. Decidió no andarse con más rodeos y sacó la hoja del bolsillo de su pantalón.

—¡A mí también me hubiera gustado colaborar en la iniciativa ciudadana!

—¿Te hubiera gustado colaborar? —inquirió el señor Schwartenfeger sorprendido... y, a todas luces, halagado.

Luego, después de una pausa, dijo:

—De eso hablaremos después, Anton... ¡Cuando terminemos nuestra pequeña sesión!

—¿Después?

—¡Sí! ¡Tú no has venido a verme por lo del viejo cementerio!

Anton apretó los labios y se calló; ¿qué podía contestar?

Y así, el señor Schwartenfeger siguió interrogándole: sobre el castillo en ruinas y la posada, sobre los machacados dedos de su padre y sobre los resultados del examen médico en el hospital…

Anton se volvió cada vez más parco en palabras. Un dedo estaba roto, sí. Ahora su padre llevaba la mano escayolada.

AÚN QUEDAN ALGUNOS EJEMPLARES

Luego, por fin, pareció quedar satisfecha la profesional curiosidad del psicólogo.

Con una voz completamente cambiada y, de alguna manera, privada, dijo:

—¡Así que te gustaría entrar a formar parte de nuestra iniciativa ciudadana *Salvad el viejo cementerio!*

—¿Formar parte? —vaciló Anton—. En realidad primero solamente quería informarme.

—¡Muy bien! —le elogió el señor Schwartenfeger—. Eso es lo que debería hacer más gente aún: informarse y luego… ¡pasar a la acción!

Se frotó las manos.

—Y nosotros hemos pasado a la acción —continuó diciendo con orgullo en su voz—. ¡Hemos reunido cuatrocientas firmas y con ello les hemos demostrado a ese fanático guardián del cementerio y a su jardinero qué es lo que pensamos de sus supuestas «medidas del embellecimiento»!

—¿Hay que pagar cuota de socio? —preguntó cautelosamente Anton.

—¿Cuota de socio? ¡No! —dijo el señor Schwartenfeger rechazando esa pregunta—. ¡Lo único que tienes que aportar es energía y tesón!

—¿Energía y tesón?

—¡Claro que sí!

—Pero si las obras ahora están paradas... ¿O acaso no lo están? —preguntó Anton palpitándole el corazón.

—¡Sí, ése ha sido el éxito de nuestra iniciativa ciudadana! —dijo el señor Schwartenfeger. En voz baja y misteriosa añadió—: Pero eso no era, ni mucho menos, todo lo que quería alcanzar nuestra iniciativa ciudadana *Salvad el viejo cementerio.*

—¿No? ¿Qué más era?

El señor Schwartenfeger lanzó una mirada hacia la puerta como si temiera que alguien le estuviera escuchando a escondidas.

Luego, con voz susurrante, dijo:

—A ti sí te lo puedo contar. ¡Se trata del programa didáctico!

Anton se puso pálido.

—¿Del programa didáctico?

—¡Sí!

El señor Schwartenfeger buscó en uno de los cajones y sacó la gruesa cartera negra.

—Tú ya sabes —dijo confidencialmente— que yo he desarrollado este programa contra las fobias. ¡Y *tengo* que saber por fin si funciona!

RORSCHACH

Sin tener ni idea Anton le preguntó:

—Pero ¿qué tiene eso que ver con el viejo cementerio?

—Oh, mucho —contestó el señor Schwartenfeger—. ¿Te acuerdas de que una vez te pregunté si conocías a algún vampiro?

Anton asintió angustiado.

—Por desgracia y para decepción mía dijiste que no conocías a ningún vampiro. Pero mientras tanto yo he averiguado que en nuestra ciudad seguramente quedan aún algunos ejemplares de esa vieja especie.

—¡¿Qué?! —gritó Anton—. ¿Vampiros… en nuestra ciudad?

El señor Schwartenfeger asintió con la cabeza.

—¿Ha visto usted… a los vampiros? —preguntó Anton con voz temblorosa.

El señor Schwartenfeger volvió a asentir, pero luego contrajo las cejas y dijo:

—¿Cómo que a *los* vampiros? ¡Al vampiro!

Anton apenas podía contener su curiosidad, pero se obligó a permanecer tranquilo.

—¿*Al* vampiro? —preguntó con toda la indiferencia que le fue posible—. ¿Acaso en el viejo cementerio?

—¡No, aquí, en la consulta! —contestó el señor Schwartenfeger—. ¡Es un paciente mío!

—¿Un paciente?

Durante unos segundos Anton se quedó sin habla.

—De todas formas hay algo que me irrita en este asunto —continuó diciendo el señor Schwartenfeger—. ¡Y es que él afirma que no es ningún vampiro!

El señor Schwartenfeger se había levantado de su silla giratoria y caminaba ahora de un lado a otro con grandes pasos, y las suelas de sus zapatos rechinaban terriblemente.

—¿Quieres saber cómo he conseguido comprobar que *sí* es un vampiro?

El señor Schwartenfeger le enseñó a Anton un pequeño estuche de cuero marrón.

—¡Aquí está! ¡Con el espejo de bolsillo! —explicó—. Me peiné el cabello mirando por el espejo hacia donde él estaba, y figúrate: ¡Su imagen *no* se reflejaba en el espejo!

El señor Schwartenfeger se rió satisfecho de sí mismo y preguntó:

—Bueno, ¿qué es lo que tienes que decir a eso?

—Yo, eh… —dijo Anton buscando las palabras.

Su cabeza trabajaba febrilmente: ¿conocía él al vampiro que era paciente del psicólogo? ¿Y cuál de los vampiros podía ser? ¿Lumpi? ¿Wilhelm el Tétrico? ¿Ludwig el Terrible? ¡Rüdiger seguro que no, pues Anton se hubiera enterado, aunque fuera por Anna!

Entonces llamaron a la puerta, y después de un irritado «¿Qué es lo que pasa?» del psicólogo se asomó a la habitación la señora Schwartenfeger.

—No quisiera molestar —dijo ella en voz baja y acentuadamente respetuosa—, pero la señora Kratzmichel ya lleva un cuarto de hora esperando.

—¿La señora Kratzmichel? —preguntó el señor Schwartenfeger echando un vistazo a su enorme reloj de pulsera—. ¡Ah, ya es tan tarde! —dijo sintiéndose culpable—. Y todavía teníamos mucho de qué hablar... ¿Te gustaría volver, Anton?

—¿Yo? —Anton pensó en el misterioso paciente—. ¡Sí! —aseguró—. Sólo que... no puede ser demasiado temprano.

—¿Qué quiere decir con «no demasiado temprano»?

—Bueno... es que yo ahora siempre estoy fuera hasta muy tarde con mis amigos. Por eso preferiría venir por la noche.

«¡Cuando se haya puesto el sol!», añadió en sus pensamientos.

—Bueno, ya veremos —dijo el señor Schwartenfeger—. Hablaré de ello con tus padres.

—¿Con mis padres? ¡Pero si se trata de mí!

—Eso es cierto —dijo el señor Schwartenfeger—. Y tú también crees que aún tienes muchas cosas de las que hablar conmigo, ¿verdad?

—¡Oh, sí! —contestó apresuradamente Anton—. Sobre las vacaciones..., pues sí que estoy muy decepcionado..., ¡y, naturalmente, también sobre la iniciativa ciudadana!

PROBLEMAS REPRIMIDOS

La madre de Anton ya le estaba esperando en el coche.

—Bueno, ¿cómo te ha ido? —preguntó ella con mal disimulada curiosidad.

—¿Cómo me iba a ir? —se hizo el indiferente Anton.

Sin embargo, por dentro estaba temblando de emoción por las… revelaciones del señor Schwartenfeger.

—¡De verdad, contigo no se puede hablar razonablemente!

Anton se rió mordaz.

—Pues con el señor Schwartenfeger he charlado de maravilla.

—Ah, ¿sí? —dijo ella mirándole inquisitiva de soslayo—. ¿Y de qué habéis hablado?

Anton hizo un ligero ademán.

—De las vacaciones, de los dedos machacados… y de que yo estoy muy decepcionado.

—¿De veras?

A ella le había cambiado la expresión del rostro, y visiblemente aliviada dijo:

—¡Me alegro, Anton, de que no sigas reprimiendo tus problemas y le des al señor Schwartenfeger la oportunidad de tratarlos charlando contigo!

—¡Pero tendría que dedicarme mucho más tiempo!

—¿Cómo... más tiempo?

—¡Pues sí! No habíamos hecho más que empezar a hablar y ya vino el siguiente paciente... Y además —dijo Anton sacando de su bolsillo la tarjeta que le había dado la señora Schwartenfeger—, no puedo volver hasta el viernes, y eso son tres días.

—Pero, Anton —se rió su madre—. ¡Al principio no querías ir de ninguna manera al señor Schwartenfeger y ahora, al parecer, no puedes esperar a la próxima consulta!

—¡Exactamente! —dijo Anton—. ¡Porque no quiero seguir reprimiendo mis problemas!

«Sobre todo el problema de cuál de los vampiros es el paciente del señor Schwartenfeger», añadió, aunque, naturalmente, eso no lo dijo en voz alta.

A Anton le hubiera gustado estar otra vez en casa, llamar por teléfono inmediatamente al señor Schwartenfeger y preguntarle el nombre del vampiro. Pero sospechaba que el psicólogo no iba a dar ninguna información por teléfono y tendría que resignarse a esperar a la consulta del viernes.

¡Por eso esperaba ahora con mayor impaciencia aún al pequeño vampiro y a su hermana Anna!

El domingo por la noche —o sea, hacía dos noches— había sido el Tour del Ataúd y Anton sabía que todo había ido bien por una carta de Anna que había encontrado el lunes por la mañana en su ventana.

«Hemos llegado a salvo a la cripta», decía. «Ahora tenemos que hacer inventario. ¡Y muy pronto nos volveremos a ver!». ¡Ojalá aquella misma noche!

Platillo volante

Cuando oscureció, Anton buscó el libro *El vampiro de Amsterdam* (un regalo de la posadera del Valle de la Alegría) y se tumbó en su cama. Encendió la lámpara de la mesilla de noche y empezó a leer «Terror bajo la escalera del sótano», un relato sobre un hombre que se instala en una vieja casa que ha estado mucho tiempo vacía. Se dice que por ella rondan fantasmas...

Anton leyó cautivado cómo aquel hombre oía un día un estruendo en el sótano, abría la puerta y acechaba en el húmedo sótano que olía a moho... y entonces llamaron.

Anton dio un respingo. Precipitadamente se levantó de la cama de un salto y corrió hacia la ventana. Pero entonces volvieron a llamar, esta vez con más fuerza, y luego oyó la voz de su padre:

—¿Anton? ¿Estás ya durmiendo?

—Ah, eres tú —gruñó Anton volviendo a tumbarse en la cama.

—¿Puedo entrar? —preguntó su padre.

—Si no queda más remedio...

Se abrió la puerta de la habitación y entró el padre de Anton.

—¿Esperabas a otra persona? —preguntó divertido mirando hacia la ventana cuyas cortinas aún no había echado Anton—. ¿Acaso a un... vampiro?

Aquél era el estilo habitual de su padre: hacer chistes sobre cosas en las que no creía y que él consideraba «productos de la fantasía».

—¿A un vampiro? —dijo Anton con gesto sombrío—. No, estoy esperando un platillo volante... ¡para así, al menos, vivir todavía algo un poco emocionante durante mis vacaciones!

Su padre le miró desconcertado. Luego su rostro adquirió una expresión consternada y de culpabilidad.

—¡Anton! —dijo sentándose en el borde de la cama—. Créeme: a mí también me habría gustado quedarme en el Valle de la Amargura, pero —dijo mirando preocupado su brazo derecho escayolado hasta el codo— con el dedo roto...

Intentó reírse.

—En cualquier caso —añadió—, sería una pena que nuestras buenas relaciones entraran en una crisis por esas..., bueno, por esas vacaciones algo desafortunadas.

—¿Cómo? —dijo Anton con fingida sorpresa—. ¿Mamá y tú... tenéis ahora también una crisis en vuestra relación?

—¿Mamá y yo? ¡No! Yo hablo de *nuestra* relación..., tuya y mía. Las vacaciones-acción en el Valle de la Amargura debían contribuir a que nosotros dos nos sintiéramos más unidos. Y realmente al principio todo iba de maravilla y nos entendíamos muy bien, creo yo; hasta que ocurrió lo de los dedos.

Anton no dijo nada y se limitó a contraer dubitativamente la comisura de los labios.

La alegre noticia

—Y por lo que respecta a tu tienda de campaña y al saco de dormir —prosiguió el padre de Anton—, en otoño podrás volver a usarlos.

—¿En otoño?

—¡Sí, porque entonces volveremos a tener unas vacaciones-acción!

—¿Dónde? —preguntó desconfiado Anton.

—¿Que dónde? —su padre sonrió satisfecho—. ¡En el Valle de la Amargura, naturalmente! ¡En la Cueva del Lobo!

—No…, no puedo —se apresuró a replicar Anton, ¡pues si el pequeño vampiro no estaba en las ruinas del Valle de la Amargura, no le atraía absolutamente nada ir allí!

—¿Que no puedes? —preguntó sorprendido su padre.

—¡No! En otoño voy de viaje con la clase —explicó Anton—. Y tampoco me apetece —añadió.

Su padre le miró extrañadísimo.

—Eres un verdadero enigma para mí —dijo—. No hace ni un momento ponías una cara larguísima por haber tenido que acortar una semana nuestras vacaciones en el Valle de la Amargura… y ahora, cuando te doy la alegre noticia de que en otoño podremos recuperarlo todo, no te alegras absolutamente nada.

—¡Es que ya tengo bastante de valle de amarguras! —repuso Anton con la voz firme.

—¿Y de la fiesta? —preguntó su padre—. ¿Tampoco tienes ya ganas de hacerla?

—¿La fiesta? —vaciló Anton.

—¡La fiesta que te dejamos que celebres en casa con todos tus amigos!

Ahora Anton se rió irónicamente.

—¡Sí, con todos mis amigos! —dijo pensando que ni siquiera había invitado todavía a Rüdiger y a Anna.

Pero es que le habían dicho que no podría celebrar la fiesta hasta que su padre no estuviera mejor.

—¿Es que estás ya mejor? —le preguntó cautelosamente.

—¡Oh, sí, mucho mejor! —contestó su padre—. Desde que llevo la escayola apenas me duele. ¡Por eso podrás dar tu fiesta ya el sábado que viene!

—¿El sábado que viene?

¡Esperaba que el pequeño vampiro y su familia no celebraran la misma noche en la cripta su fiesta de regreso, a la que Anna ya le había invitado en el Valle de la Amargura! No es que Anton tuviera previsto asistir a la fiesta de regreso en la Cripta Schlotterstein…, pero si los vampiros celebraban su propia fiesta, Anna y Rüdiger seguro que no podrían ir a la de Anton, y él no se podía imaginar en absoluto una fiesta sin ellos dos.

—¡Muy entusiasmado no pareces!

La voz de su padre sonó decepcionada.

—¡Sí, sí! —aseguró Anton—. Sólo que yo… estaba pensando a quién iba a invitar.

—¿Tan difícil es? —preguntó su padre.

—Humm, bastante —dijo desdeñoso Anton. Y con una risita irónica añadió—: Por ejemplo, ¿a cuántos vampiros voy a invitar?… ¿A uno? ¿A dos?…

—O a tres o cuatro —completó su padre riéndose.

Era evidente que creía que el comentario de Anton era una broma.

—Mejor no —dijo seriamente Anton—. ¿O quieres que invite al abuelo de Anna y Rüdiger, Wilhelm el Tétrico, o a su abuela, Sabine la Horrible?

—¿Wilhelm el Tétrico? ¿Sabine la Horrible? —repitió su padre riéndose todavía más—. ¡Vaya nombres! Pero, bueno, ahora ya se han ido de aquí ese ridículo Rüdiger y su hermana Anna con sus disfraces de vampiro y sus extraños parientes. ¡Y se han quedado los mejores! —añadió de buen humor—. Ole, Sebastian, Udo..., ¿qué te parece si les escribes ya las invitaciones para que tengan tiempo el sábado próximo y vengan?

—No es mala idea —dijo Anton.

—¡Entonces no quiero impedir que comiences tu trabajo!

Su padre se levantó y se encaminó hacia la puerta.

—¿Y a qué hora empezará la fiesta? —preguntó Anton.

—Cuando se haya puesto el sol, claro —bromeó su padre.

—¿Cuándo se haya puesto el sol? —se rió irónicamente Anton—. ¡O.K.! ¡Bajo tu responsabilidad!

QUERIDA ANNA, QUERIDO RÜDIGER

—¿Que se han quedado los mejores? —dijo Anton cuando su padre salió de la habitación—. ¡Los mejores han vuelto!

Se sentó al escritorio, sacó su mejor papel de cartas —¡el de color rojo sangre!— y empezó a escribir.

> **Querida Anna,**
> **querido Rüdiger:**
> **Me gustaría que pudierais venir a mi fiesta el sábado que viene.**
> **Hora de comienzo: cuando se haya puesto el sol.**
> **Vuestro,**
>
> **Anton**

Anton escribió luego otras cuatro invitaciones, aunque en papel más corriente a Ole, a Tatiana, a Henning y a Sebastian.

Sin embargo, la invitación a Tatiana, que vivía en la casa de al lado, la rompió después de pensarlo un poco: por Anna.

Cuando Anton metió las invitaciones en los sobres y escribió los nombres en ellos tuvo conciencia una vez más de cuántas desventajas tenían los vampiros: a Ole, Sebastian y Henning probablemente se los iba a encontrar por la calle al día siguiente o, como muy tarde, el lunes cuando empezara de nuevo la escuela.

En el caso de Anna y Rüdiger, Anton sólo podía esperar..., esperar a que ellos llamaran a su ventana.

Y aquella noche Anna y Rüdiger parecían tener algo más importante que hacer...

Triste y decepcionado, Anton se metió finalmente en su cama después de haberse mantenido despierto tanto tiempo con *El vampiro de Amsterdam* y «Terror bajo la escalera del sótano», que ya las letras le bailaban delante de los ojos.

—¡Ojalá sea mañana! —exclamó dirigiendo una última mirada anhelante a la ventana.

¡Tienes que ayudarme!

—¡Eh! ¡Levántate! —gruñó una voz ronca que a Anton le resultó conocida—. ¡Venga, levántate de una vez, Anton!

Era... ¡la voz del señor Fliegenschneider, el profesor de matemáticas de Anton!

—¡No, no quiero hacer cálculos! —exclamó Anton.

—¡Oh, sí, claro que vas a hacer cálculos! —contestó el señor Fliegenschneider golpeando con su puntero en el pupitre—. ¡Ahora vas a salir a la pizarra a hacer cálculos!

—¡No, no lo haré! —exclamó Anton... y se despertó.

Tenía que ser muy tarde: la luz de la luna se colaba en la habitación a través de las cortinas y no se oía ni un ruido en las demás habitaciones de la casa.

Pero entonces, de repente... alguien golpeó fuerte y enérgicamente el cristal de la ventana.

Anton saltó de la cama y se fue corriendo a la ventana. Echó las cortinas a un lado... ¡y vio la pálida cara del pequeño vampiro!

Anton abrió rápidamente la ventana.

—¡Anda que no has tardado! —protestó el pequeño vampiro—. Ya creía que estabas en letargo.

—Hola, Rüdiger —dijo Anton, confundido por el extraño aspecto que tenía el pequeño vampiro.

A su pelo, que normalmente le colgaba hasta los hombros en largas greñas, algo le habían hecho, pues lo llevaba ahora pegado a la cabeza y tenía un brillo aceitoso. Y además —Anton tosió— su olor no era en absoluto el propio de un vampiro. ¡Olía como si Rüdiger acabara de salir de un salón de peluquería!

—Tienes que ayudarme —le explicó el pequeño vampiro saltando desde el poyete de la ventana al interior de la habitación.

—¿Ayudarte? ¿Cómo? —preguntó a la defensiva Anton.

—¡Ayudarte!... ¡Cómo!... —le hizo burla el pequeño vampiro—. ¿Es que no tienes ojos en la cara?

—Sí, ¿por qué?

—¿No ves que Waldi el Malo me ha arruinado el peinado?

—¿Ha sido Waldi el Malo?

—¡Sí! —dijo el pequeño vampiro con voz de ultratumba—. ¡En ese maldito concurso de uñas! ¡Ojalá no hubiera ido!

—Pero ¿qué tiene que ver el concurso de uñas con eso?

El pequeño vampiro le lanzó una mirada sombría.

—¡Ja! Todos ganaron algo... Jörg, el primer premio: una manta de lana; Waldi, el segundo premio: una almohada; y Lumpi, el tercer premio: un botón de la colección de Jörg. ¡El único que volvió a salir de vacío fui yo! Y por eso Waldi dijo que yo tenía que obtener un premio de consolación…

—¿Un premio de consolación?

—¡Sí! —gruñó el pequeño vampiro—. Jörg el Colérico sacó de debajo de su capa este asqueroso gel para el cabello y le dijo a Waldi que me consolara…

—¿Que te consolara? —dijo sorprendido Anton—. ¿Cómo?

—¿Todavía lo preguntas? ¡Untándome el gel en el pelo, idiota!

—¿Y eso es un premio de consolación? —se indignó Anton.

—¡Sí, porque ellos no están muy en sus cabales!… ¡Ese Jörg y ese Waldi, con su estúpido grupo de hombres!

El pequeño vampiro estaba ahora realmente furioso; ¡y con razón!, pensó Anton.

—Y ahora no me queda más remedio que lavarme el pelo —añadió rabioso el vampiro—. ¡Por primera vez desde hace treinta y ocho años!

—¿Te vas a lavar aquí el pelo? —preguntó con malestar Anton—. ¿Aquí… en mi casa?

—¿Dónde si no? —siseó el pequeño vampiro—. ¿Acaso has visto que haya algún grifo de agua en nuestra cripta?

—No —admitió Anton—. Pero es que mis padres…

—¡No te preocupes! No haré ruido —contestó el pequeño vampiro—. ¡Venga, llévame al cuarto de baño!

—Pero sólo puedes lavarte el pelo en el lavabo —dijo Anton—. La ducha de la bañera hace demasiado ruido. ¡Y el secador tampoco se puede utilizar! —añadió.

—¿El secador? —dijo el vampiro mirándole sin comprender nada—. ¡Ya te he dicho que me lo voy a *lavar!* ¡Y ahora vamos ya de una vez! Hace cuatro noches que estoy esperando este momento.

—¿Cuatro noches?

—Sí, todo ese tiempo he tenido que llevar puesta esta cosa.

—¿Y por qué?

—¡Por qué, por qué! ¡Porque eso formaba parte del premio de consolación! Y Lumpi ha cuidado de que lo cumpliera… ¡Y ahora vamos! —dijo muy decidido—. ¿O quieres que vaya yo solo?

—¡No, no! —repuso apresuradamente Anton. Corrió hacia la puerta, la abrió con cuidado y aguzó el oído.

No se oía nada.

—¡Todo está en calma! Podemos ir —le susurró al vampiro.

Cruzaron de puntillas el pasillo a oscuras. Anton sólo se atrevió a encender la luz una vez que cerraron tras ellos la puerta del cuarto de baño.

HUMMM, QUÉ BIEN HUELE

—¿Y dónde están las cosas para lavarse el pelo? —preguntó impaciente el pequeño vampiro.

Anton, cuyos ojos tenían que acostumbrarse primero a la repentina claridad, agarró a ciegas el bote que había en el borde de la bañera.

—¡Aquí tienes!

El pequeño vampiro pegó un grito.

—¿Quieres matarme?

—¡Pe... perdona! —tartamudeó Anton.

¡Alguien había puesto en el borde de la bañera el bote marrón de la crema solar!

—Ahí de... detrás está el champú para el pelo —dijo con voz apocada alcanzando del otro lado de la bañera el bote verde con «hierbas del prado para un hermoso cabello».

El pequeño vampiro desenroscó el tapón y olió el bote.

—¡Iiiiih! —gruñó despectivo—. ¡Esto todavía apesta más que el gel del pelo!

—Pues no tenemos otro —repuso Anton; pero luego se le ocurrió algo—. Bueno, tú... —dijo sacando del armario el champú de fango que utilizaba a veces su madre— … ¡tienes el cabello graso!

—¿El cabello graso? —repitió el pequeño vampiro con una risita irónica—. ¿Vale para eso ese champú?

—¡Te lo garantizo! —dijo irónico Anton—. ¡Con lo mal que huele!…

Pero el pequeño vampiro tenía una idea completamente diferente de los malos olores. Después de desenroscar el tapón dijo con gesto entusiasmado:

—Hummm, qué bien huele… ¡Huele a moho y podredumbre!

Y se echó un buen pegote de champú en la mano revolviéndolo con la uña.

—¡Eh, no gastes tanto! —protestó
Anton—. Eso lo ha comprado mi madre
en la tienda de productos dietéticos
y le ha costado bastante caro.

—¡Tacaño! —gruñó el
pequeño vampiro. Y desabrido,
preguntó—: ¿Qué, empiezas ya
de una vez o no?

—¿Yo? —dijo anonadado
Anton—. ¡Eres tú el que iba a
lavarse el pelo!

El pequeño vampiro se
rió irónicamente a sus anchas.

—¡Vas a ser *tú* quien me lave el pelo!

—¿Yo?… —dijo Anton bufando indignado—. Pues sí, sólo faltaría eso. ¡Yo no soy tu criado!

—Está bien, si no quieres… —dijo el vampiro metiéndose en la bañera y agarrando la ducha—. También puedo lavarme el pelo yo solo…, pero solamente dentro de la bañera y con esta maravillosa ducha.

Anton intentó quitarle el mango de la ducha.

—¡Hace demasiado ruido! —le explicó—. ¡Se van a despertar mis padres!

—¿De verdad? —dijo el pequeño vampiro rechinando sus puntiagudos dientes—. Pero si el dormitorio está muy lejos, al final del pasillo…

—Bueno, sí…, ¡pero es que lo van a oír los vecinos! ¡La vecina de abajo, la señora Miesmann, es malísima!*

—Ah, ¿sí? ¿Y qué es lo que hace esa mujer mala?

—Bueno, su marido seguro que tiene más de ochenta años y está casi sordo, pero ella oye toser a una pulga, según dice mi madre. Y entonces ella siempre manda a su marido que suba y nos eche la bronca desde la escalera.

—¿Que oye toser a las pulgas? ¡Qué bonito! —dijo el pequeño—. ¿Crees tú que yo… podría visitarla alguna vez?

Anton se encogió de hombros.

—No tengo ni idea. ¡Pero ahora deberíamos empezar!

*Juego de palabras. La palabra *Mies* significa «malo/a». *(N. del T.)*.

49

Volvió a colgar el mango de la ducha en la abrazadera de la bañera.

—¡Ahora voy a llenar el lavabo de agua y luego te lavaré el pelo!

—¡¿Y por qué no así ahora mismo?!

El pequeño vampiro se sentó en el borde de la bañera balanceando las piernas lleno de esperanza.

—¿Está ya el agua lo suficientemente caliente? —preguntó.

—¡Sí! —gruñó Anton, que estaba dejando correr el agua sobre el dorso de su mano para que no se oyera el chapoteo.

—Nosotros sólo tenemos agua gélida —dijo el vampiro—. ¡Pobres florecillas!

Anton le miró estupefacto.

—¿Qué pobres florecillas?

—¡Pues las del cementerio! No soportan el agua fría…, exactamente igual que nosotros… Aunque el agua caliente tampoco nos gusta demasiado —precisó el pequeño vampiro—. Pero en este caso… ¡si hay que hacerlo, se hace! —suspiró profundamente y luego gruñó—: ¡Oye, tu grifo corre bastante despacio!

—Es que no lo he abierto del todo —repuso Anton—, por la señora Miesmann.

—¡Qué respetuoso estás! —dijo con una risita el vampiro—. Así no hay quien te conozca.

Anton le lanzó una mirada furibunda pero no le dijo nada.

El salón de lavado de Anton

Luego, por fin, se llenó completamente el lavabo.

—¡Ya podemos empezar! —dijo Anton sigilosamente para no hacer ruido.

—¿Y cómo voy a meter ahí mi cabeza? —preguntó el pequeño vampiro.

—¡Lo único que tienes que tener dentro del agua es el pelo! —contestó Anton.

—¿Mantener el pelo en el agua? —dijo estupefacto el vampiro—. ¿Y cómo voy a hacerlo?

—Te colocas delante del lavabo, agachas la cabeza y así el pelo caerá por su propio peso en el agua.

—Ah, vaya… —murmuró el vampiro; luego, después de pensarlo un poco, dijo de mal humor—: Pero entonces mi nuca se quedará totalmente desprotegida…

Anton se rió burlón.

—¡No te preocupes, yo no te voy a hacer nada!

—Tú no, pero ¿y los otros? ¡Si estoy cabeza abajo, me quedo sin ninguna defensa! —se lamentó el pequeño vampiro.

—¿Qué otros? En primer lugar: mis padres están durmiendo, y segundo: la puerta del cuarto de baño está cerrada con llave.

—Hummm —dijo el vampiro observando con absoluto desagrado el lavabo lleno—. ¿Y no hay, de verdad, ninguna otra posibilidad?

—Sí...

—¿Cuál? —preguntó nervioso el pequeño vampiro.

—Bueno, pues... podrías echarte el champú seco. Tu pelo se quedaría como recién lavado.

—¿De verdad? —exclamó el pequeño vampiro—. ¿Y no tendría que meter el pelo en el agua?

—No. Sólo que... ¡después te picaría la cabeza!

—¿Qué?... ¿Que me va a picar? —el pequeño vampiro resopló de indignación—. ¡Pero si he venido aquí precisamente para eso!... ¡Para librarme de una vez de este terrible picor de cabeza!

—Pues... —dijo Anton señalando el lavabo—, ¡entonces no te va a quedar otro remedio!

—Si tú lo dices... —masculló quejumbroso el vampiro.

Se colocó delante del lavabo e inclinó tanto su cabeza hacia abajo que sus cabellos se sumergieron en el agua.

Entretanto, Anton había abierto el bote del champú de fango.

Cuando iba a echar un poco de champú, el pequeño vampiro pegó un respingo y gritó:

—¡Mis ojos! ¡No me puede entrar agua en los ojos!

«¡Ni champú tampoco!», completó Anton, aunque prefirió no decirlo en alto.

—Toma —le dijo dándole al vampiro una toalla—. Apriétatela muy fuerte contra los ojos. Así no pasará nada.

—¿De verdad que no? —preguntó preocupado el pequeño vampiro.

—No, lo único que tienes que hacer es no soltarla —le explicó Anton.

—¡Está bien!

El vampiro se apretó la toalla contra los ojos y volvió a inclinarse sobre el lavabo.

Anton pudo entonces meter profundamente en el agua caliente los aceitosos e increíblemente enmarañados cabellos del vampiro, que le llegaban hasta los hombros.

Se estremeció. ¡Había que ver qué tacto tenían sus cabellos!... ¡Brrr! Y luego el olor: aquella mezcla de gel para el pelo y el habitual olor a vampiro de Rüdiger...

Vertió una cantidad de champú de fango que le cubría la palma de la mano y la repartió por los mojados cabellos..., pero sin ningún éxito: ¡no hizo absolutamente nada de espuma!

—Eh, ¿qué pasa! —graznó el pequeño vampiro.

A través de la toalla su voz sonó curiosamente débil y distorsionada.

—¡El champú de fango! No hace nada de espuma.

—Pues entonces utiliza más... ¡Lo mejor será que eches el bote entero!

—¡El bote entero! —dijo Anton tosiendo indignado—. ¡Y luego compro uno nuevo con el dinero de mis propinas, ¿no?!

—¿Eres mi amigo o no? —respondió en tono de reproche el vampiro.

—Sí...

Anton gastó el doble que la vez anterior y entonces se formó una fina película de espuma. Mientras tanto el olor que había en el cuarto de baño se había vuelto tan insoportable que Anton temió ir a desmayarse.

Pero, naturalmente, no se desmayó.

Apretando los dientes estrujó y friccionó los cabellos hasta que el agua del lavabo se quedó tan negra como la capa de vampiro de Rüdiger. Luego, inspirando profundamente, quitó el tapón del lavabo.

—¡Listo! —anunció mientras el agua empezaba a correr lentamente haciendo fuertes gorgoteos y burbujeos.

—¿Listo?

El pequeño vampiro levantó la cabeza. Se tocó con desconfianza el pelo, que con el lavado estaba todavía más enredado que antes. Pero aquello precisamente pareció gustarle.

—¡Estupendo! ¡Qué tiesos se han quedado! —dijo entusiasmado—. Y ya no me pican absolutamente nada... Ni siquiera un poco.

Miró a Anton, y una sonrisa satisfecha apareció en su rostro al tiempo que exclamaba:

—¡Anton Bohnsack, maestro peluquero!

Hay que irse entrenando

Pero inmediatamente después, como si le resultara penoso haber dicho algo amable, le ordenó a Anton:

—¡Bueno, y ahora tienes que darme un masaje en el cuello!

Volvió a inclinarse sobre el lavabo.

—¡Venga, empieza ya! —siseó—. Tengo la nuca más rígida que la tabla de un ataúd.

—¡Un masaje en el cuello! —se rió secamente Anton—. ¿Qué te crees, que tú eres Blasius von Seifenschwein... y yo soy un fantasma a tu servicio?

—¿Yo? ¿Blasius Von Seifenschwein? —dijo el pequeño vampiro incorporándose y mirando conmovido a Anton—. ¡Eso es lo más bonito que tú me has dicho jamás, Anton! —suspiró—. ¡Yo... Von Seifenschwein! ¡Ay, eso tenía que haberlo oído Olga!

—¡Mejor sería que te secaras el pelo! —gruñó Anton tendiéndole al vampiro una toalla de rizo (una de las suyas para que no le echaran la bronca).

El pequeño vampiro agarró la toalla y la olió.

—¡Puf! —se quejó—. ¡Cómo apesta! ¿Con qué lava tu madre vuestra ropa?

—Con nada en absoluto —repuso Anton.

—¿Con nada en absoluto? —repitió el vampiro—. Si fuera así, la toalla no tendría este mal olor tan dulzón.

—Yo tampoco he dicho eso —dijo Anton con una risita irónica—. ¡Es que en mi casa no es mi madre quien lava la ropa, sino mi padre!

El pequeño vampiro le lanzó una mirada furiosa.

—¿Y qué pretendes que haga con este trapo apestoso? —preguntó haciendo girar la toalla sobre la cabeza de Anton.

Anton se rió con más ironía aún.

—Bueno, pues... ¡secarte el pelo! Y secar tu capa también —añadió.

Y es que entretanto la capa de vampiro se había empapado bastante.

—¡¿Qué?! ¡¿Mi capa?! —exclamó Rüdiger mirándose sorprendido—. ¡Oh, maldita sea! ¡Como se me moje más voy a tener que ir andando!

Y empezó a frotar celosamente su capa, en lugar de secarse primero el pelo, que hubiera sido mucho más razonable. Sin embargo, el pequeño vampiro se detuvo de repente.

—¡Pero ¿para qué me estoy esforzando?! —dijo riéndose complacido—. ¡Si me he traído otra capa!...

Y dicho esto echó mano debajo de su capa y sacó otra seca.

—¡En realidad la había traído para ti —dijo—, pero ahora, naturalmente, tengo que pensar primero en mí!

Se quitó la capa que llevaba puesta y que estaba chorreando, la dejó en el borde de la bañera y se puso la segunda.

—¡La otra es para ti! —dijo condescendiente.

—¿Para mí? —se indignó Anton—. ¿Quieres que sufra una caída?

—No —dijo el pequeño vampiro haciendo rechinar de buen humor los dientes—. ¡Lo que quiero es que la seques!

—¿Que la seque? Pero ¿tú que te has creído?

—¡Oh, pues muy sencillo! ¡Seguro que en el futuro tú también lavarás la ropa exactamente igual que tu padre! Y hay que irse entrenando…

Anton soltó un bufido de indignación.

—¡Ja! ¡Lo que sí que no voy a ser es un pachá como tú! —le contestó furioso.

—¿No? —dijo el pequeño vampiro con una suavidad inusitada—. Yo no sé muy bien del todo qué es un pachá, pero supongo que…

Más no pudo decir, pues en aquel momento se oyó una puerta al final del pasillo.

—¡Mis padres! —balbuceó Anton.

—¡¿Qué?! ¡¿Tus padres?! —espetó el pequeño vampiro, y miró apurado por todo el cuarto de baño.

Luego abrió bruscamente la ventana y sin decir una sola palabra extendió los brazos y salió volando de allí.

ATENUANTES

—¿Anton? —aquélla era la voz de su madre—. ¿Estás enfermo?

Anton cerró rápidamente la ventana.

—No —contestó.

Y sin embargo se sentía fatal. El cuarto de baño presentaba un aspecto terrible... ¡Necesitaría por lo menos media hora para fregar el suelo y limpiar el lavabo! Y encima Anton había gastado casi todo el champú de fango.

Volvió a colocar rápidamente el bote de champú dentro del armario. ¡Al menos de lo del champú no tenía por qué enterarse su madre enseguida!

—¿Qué es lo que estás haciendo ahí dentro? —preguntó ella ahora ya más impaciente—. ¿Por qué no estás en tu cama?

—Tenía que hacer pis —contestó Anton.

¡Aquello no era muy imaginativo, pero al menos sí era una explicación creíble!

—¿Hay algo que no esté en orden?

«¡Pues sí, se podría decir que sí», pensó Anton, pero en voz alta dijo:

—No, nada malo.

—¿Nada malo? —repitió ella, y en contra de su costumbre de llamar siempre a la puerta, tiró del picaporte hacia abajo.

—¡Pero si has cerrado con llave! —exclamó ella.

Anton no respondió. Acababa de recoger el trapo y la toalla que el pequeño vampiro había dejado caer por negligencia para colgarlos en una percha. Ahora ya sólo le quedaba hacer desaparecer la capa de vampiro. Después de pensarlo un poco la metió en el cubo de plástico rojo que había debajo del lavabo.

—¡Anton! ¿Cómo es que has cerrado con llave? —oyó que decía la nerviosa voz de su madre.

—¿Que cómo? ¡Porque ya tengo una edad en la que uno cierra la puerta! —contestó—. ¡Y además, odio que me fisgoneen!

—El que me preocupe y quiera saber si todo está en orden no tiene absolutamente nada que ver con fisgonear —repuso su madre—. ¡Sobre todo si te encierras en el baño a las dos y media de la madrugada! —añadió.

Ella hizo una pausa y luego dijo enérgicamente:

—¡Así que abre la puerta ya de una vez!

Anton había estado todo el tiempo pensando cómo le iba a explicar a su madre lo de las baldosas mojadas, la toalla mojada y el lavabo.

Finalmente tuvo una idea… No es que fuera brillantísima, pero bueno: abrió un momento el grifo y metió su pelo debajo del chorro de agua caliente.

Luego se enrolló en la cabeza la toalla mojada y abrió la puerta del cuarto de baño.

Su madre entró precipitadamente y bastante fuera de sí.

—Pero ¿será posible? —exclamó—. ¡Lavarse el pelo en plena no...!

Pero no llegó a terminar la frase porque se quedó mirando estupefacta el cuarto de baño.

Anton, por si acaso, había retrocedido hasta el borde de la bañera. Aunque sus padres estaban totalmente en contra de pegar a los niños... a veces ocurría que, como ellos decían, «se les escapaba la mano». Y con lo indignada que estaba ahora su madre, era fácil que «se le escapara la mano»...

—¡Pero esto es tremendo! —exclamó ella, temblándole la voz de indignación—. En plena noche te lavas el pelo, encharcas nuestro cuarto de baño y encima...

Tuvo una sospecha y se puso a comprobar a qué olía.

—¡Mi champú! —dijo ella—. ¡Dime, ¿es que te han abandonado todos los buenos espíritus?!

—No, todos los malos —repuso Anton.

Su madre le miró irritada.

—¿Todos los malos? ¿Qué significa eso?

—He tenido una pesadilla —declaró Anton—. He soñado que tenía toda la cabeza llena de..., eh..., piojos, y los piojos me mordían y... me chupaban la sangre. Y cada vez llegaban más piojos... y de repente me encontré aquí, al lado del lavabo. Sí, y tenía el pelo completamente mojado y el suelo estaba empapado...

—¿Que has venido al baño sin darte cuenta... como un sonámbulo?

Anton asintió con la cabeza.

—¡Pero si tú nunca te has levantado en sueños! —dijo su madre medio asustada, medio incrédula—. ¿Por qué ibas a empezar a hacerlo precisamente esta noche?

—Bueno, como el sueño era tan horrible… —contestó Anton—. Todos esos piojos… me han echado literalmente de la cama y no me ha quedado más remedio que lavarme el pelo dormido.

—Piojos… que te chupan la sangre —repitió su madre sacudiendo la cabeza—. ¡Y eso sólo es por estar siempre leyendo esas terribles historias de vampiros! ¡Seguro que has tenido la pesadilla por el libro de la señora Virtuosa, *El vampiro de…* ya no me acuerdo dónde!

Anton no la contradijo; le pareció que aquello era lo más inteligente.

Era extraño, pero si decía la verdad, o sea, que él no tenía la culpa de que el cuarto de baño estuviera mojado y sucio, su madre no se lo iba a creer. ¡Por el contrario, su excusa de que había tenido una pesadilla y había andado en sueños a ella le parecía más creíble! Y aunque ella no estuviera del todo convencida de la historia del sueño, por lo menos le concedía a Anton atenuates.

Teléfono

—Mañana temprano lo limpiaré todo —propuso Anton.

—¿Mañana temprano? ¡No, hay que hacerlo ahora mismo! —repuso su madre.

—¿Ahora mismo? —preguntó a la defensiva Anton.

—¿No pretenderás negarte a limpiar, no?

—No. Es que estoy muerto de cansancio.

—Ah, claro, y entonces lo voy a tener que limpiar yo sola, ¿no? —preguntó ella mordaz.

—No —dijo Anton riéndose irónicamente—. ¡Puedes despertar a papá!

—Probablemente ya se habrá despertado hace mucho —repuso indignada su madre—. ¡Con el ruido que estás haciendo tú, aquí no hay quien duerma!

Y como confirmación a sus palabras en aquel momento sonó el teléfono.

La madre de Anton se puso pálida.

—¿Quién podrá ser? —murmuró. Luego, teniendo un presentimiento, dijo—: Oh, sí, ya me imagino quién...

Abandonó rápidamente el cuarto de baño y Anton oyó cómo corría por el pasillo hacia la sala de estar. El teléfono estuvo sonando todo el tiempo.

En cuanto dejó de sonar, Anton sacó del cubo la capa de vampiro mojada y se fue de puntillas a su habitación. Allí vació su bolsa de deporte, metió dentro la capa y escondió la bolsa dentro del armario.

Luego, igualmente sin hacer ruido, regresó corriendo al baño.

Se detuvo en la puerta del cuarto de baño y escuchó con atención.

—Sí, naturalmente, señora Miesmann —le oyó decir a su madre—. Por favor, le pido mil disculpas. No volverá a ocurrir. Seguro que no, señora Miesmann.

—¡No, de verdad que no, señora Miesmann! —exclamó Anton en el mismo tono que su madre.

Agarró el cubo de plástico rojo, lo colocó con un fuerte estrépito en el interior de la bañera y abrió el grifo. Pero entonces —como había esperado Anton— su madre entró precipitadamente en el cuarto de baño y volvió a cerrar el grifo.

—¡Por Dios santo, Anton, vete inmediatamente a la cama! —le dijo suplicante.

—¿Que me vaya a la cama? —se hizo el sorprendido—. Pero si acabas de decir que teníamos que limpiar... ¡Y por eso —dijo señalando irónicamente el cubo— ya estaba llenándolo de agua!

—Eso tendremos que dejarlo para mañana temprano —repuso su madre—. ¿O quieres que la señora Miesmann nos mande a la policía?

—¿A la policía? —dijo Anton fingiendo terror.

—¡Sí! ¡Ha amenazado con llamar a la policía si seguimos haciendo tanto ruido!

Anton se rió satisfecho para sus adentros. Lo que no había podido conseguir él lo había logrado la señora Miesmann. Y al día siguiente Anton se quedaría durmiendo. ¡Después de todo aún estaba de vacaciones!

—Pues ¡buenas noches! —dijo Anton.

Se enrolló una toalla seca alrededor de su mojado pelo y, satisfecho, se marchó a su habitación.

ABRUMADO

El día siguiente, sin embargo, empezó de una forma extraordinariamente desagradable para Anton: con el persistente y desafinado zumbido de su despertador. Anton se despertó sobresaltado e indignado. Era increíble... ¡Su madre tenía que haber puesto el despertador sin que él se enterara!

Apretó furioso el botón de la alarma. Una mirada a la esfera del reloj le demostró que todavía era demasiado pronto para levantarse: las ocho y media... ¡Qué poca vergüenza despertarle a esas horas en vacaciones!

Luego Anton vio que había una nota al lado de su cama. Empezó a leer malhumorado:

> Querido Anton:
> Papá y yo hemos ido a la compra a la ciudad. Lo mejor será que te levantes inmediatamente porque tienes un montón de cosas que hacer: limpiar el lavabo, fregar las baldosas... Cuando termines puedes comprarte panecillos...
> En la mesa de la cocina tienes dinero.
> Adiós... ¡Y esperamos que cuando regresemos el baño esté como los chorros del oro!
> Mamá y papá

—Como los chorros del oro... —gruñó Anton.

Cuando un día empezaba tan mal lo mejor era quedarse en la cama. Tragó saliva un par de veces para probar... pues lo mismo tenía faringitis.

Pero a Anton no le dolía la garganta ni un poquito.

No, el hecho de que aquella mañana se sintiera fatal era —como diría el señor Schwartenfeger —«por razones psíquicas», y es que todo había salido mal: por culpa del lavado de cabeza no le había preguntado a Rüdiger por aquel misterioso vampiro que era paciente del señor Schwartenfeger. Y tampoco le había dado a Rüdiger la invitación para su fiesta. Y ahora encima tenía que limpiar él solo el baño... Anton se levantó suspirando.

Se vistió y entró en el cuarto de baño. En secreto había tenido la esperanza de que, a pesar de todo, sus padres hubieran limpiado. Pero el baño seguía estando exactamente igual de sucio que la noche anterior. ¡Ni siquiera habían limpiado el lavabo! ¿Se habrían lavado en la cocina?

Pero aquello a Anton le daba lo mismo. Encendió la radio de su habitación y empezó.

Sin embargo, limpió sólo por encima. Sus padres tenían que ver que él —para utilizar una de las expresiones favoritas del señor Schwartenfeger— estaba «abrumado» por aquel trabajo.

Anton agarró luego el dinero para los panecillos y abandonó la casa con la sensación de que aquel día, por fuerza, ya sólo podía mejorar.

Desgraciadamente, Anton se equivocaba.

Después de comer su madre se empeñó en que la acompañara a casa de la señora Miesmann con un gran ramo de flores para disculparse. Así que Anton tuvo que estar durante una interminable hora sentado junto a su madre en el duro sofá de la señora Miesmann, beberse un chocolate demasiado dulce y comerse unos pasteles que sabían a rancio.

Pero eso no fue todo: cuando por la noche, para tener una bien merecida distracción, quiso ver la película *El lobo que era un hombre,* su madre dijo indignada:

—¿Una película de hombres-lobo? ¡No, de eso ni hablar!… ¡Después de la horrible pesadilla que has tenido la pasada noche, no!

—Pero si soñé con piojos —repuso Anton…, pero en vano: ella no se dejó disuadir.

Y como la televisión de Anton llevaba rota desde hacía un par de semanas, no le quedó más remedio que irse a la cama a leer.

Abrió *El vampiro de Amsterdam,* pero sólo había leído una página cuando sus ojos empezaron a cerrársele. Anton dejó el libro a un lado y apagó la luz.

COMO PENITENTES

De repente llamaron.

—¡No, nada de lavar el pelo! —gimió Anton todavía dormido.

La llamada se repitió y Anton se despertó por completo. Corrió hacia la ventana y, apresuradamente, echó a un lado las cortinas.

¡Fuera, sobre el alféizar de la ventana, estaba Anna!

Abrió la ventana un tanto atemorizado.

—Hola, Anton —dijo Anna.

—Hola, Anna —contestó él con voz ronca.

Ella entró en la habitación.

—¡Por fin nos volvemos a ver! —dijo ella sonriéndole tiernamente.

«¿Por fin?», pensó Anton. ¡No había pasado ni siquiera una semana desde la última vez que se vieron en el Valle de la Amargura! Aquella noche Anna le había enseñado en el sótano del castillo en ruinas el armario con los trajes viejos.

Y decir «ver» también era exagerado, ¡porque en la habitación a oscuras!... Anton se acercó a la cama y encendió la lámpara de la mesilla de noche.

—Seguro que has venido a recoger tu vestido —dijo él.

Anna no respondió. Echó un vistazo a toda la habitación con miradas extrañamente recelosas.

—Qué raro —dijo ella en voz baja—. Todo me parece como si estuviera totalmente cambiado...

—¿Cambiado? —dijo Anton siguiendo la mirada de ella, pero no encontrando, naturalmente, nada fuera de lo normal—. ¿Y qué es lo que ha cambiado?

—No sé... Quizá sólo me lo parezca... por lo mucho que hacía que no venía aquí. Y por lo incómodas y repugnantes que eran las ruinas del castillo... ¡Ay, Anton, soy muy feliz! —dijo ella suspirando.

Anton se puso colorado. Rápidamente se fue al armario y sacó el viejo vestido de encaje blanco y el velo. El pequeño vampiro le había llevado la ropa a la posada del Valle de la Alegría la última noche de las vacaciones para que se la guardara a Anna.

—¡Toma!

—No me lo puedo llevar todavía —repuso Anna, y una sombra cubrió su rostro—. Ya sabes que tía Dorothee... no puede soportar el vestido. Dice que es improcedente y no corresponde a nuestra condición. Y también se ha dado cuenta de que desapareció del armario del castillo en ruinas. ¡Ella ha amenazado ahora con romperlo en mil pedazos como caiga en sus manos!

—¡¿Que va a romperlo en mil pedazos?! —repitió asustado Anton.

—Sí, pero yo no me dejo intimidar por eso —dijo furiosa Anna—. Esta noche en el Consejo de Familia he presentado la propuesta de que nosotros, los niños-vampiro, no tengamos que ir siempre vestidos como penitentes. Nosotros queremos poder llevar también ropa bonita... ¡Exactamente igual que tía Dorothee!

—Ojalá acepten la propuesta —dijo Anton pensado que de no ser así él tendría que esconder eternamente en su armario el viejo vestido y el velo. ¡Y pronto ya no le iba a quedar sitio ni para sus propias cosas!

—La capa mojada de Rüdiger —se acordó—. Ésa seguro que sí te la puedes llevar.

Anton sacó del armario su bolsa de deporte y tuvo que toser: el olor —¡absolutamente indescriptible!— de la mojada capa de vampiro atravesaba incluso la bolsa.

—Rüdiger quería que yo la secara —explicó él—. ¡Pero es que yo no la puedo tender en el cuarto de baño! Y dentro del armario nunca se va a secar.

—Bueno, yo se la llevaré a Rüdiger —se ofreció Anna—. ¡Y tú seguirás cuidando de mi vestido y de mi velo!

Vieja cripta y nuevos grupos

—Lo principal es que tía Dorothee no los venga a buscar a mi casa —dijo Anton con gran malestar.

—¿Por qué lo dices? —dijo Anna—. Si ella no tiene ni idea de que nosotros dos...

En lugar de seguir hablando se rió irónicamente.

—¡Pero tía Dorothee sabe que Rüdiger me conoce! —repuso Anton—. Después de todo, ella estuvo espiando a Rüdiger hasta que le cayó la prohibición de cripta.

—¡Pero por eso ella no sabe, ni mucho menos, dónde vives tú! —le contradijo enérgicamente Anna—. Y además, es probable que ya el domingo me pueda llevar el vestido y el velo.

—¿Este domingo? —preguntó Anton agradablemente sorprendido.

—¡Sí! —sonrió ahora ella—. Y ésa es también la razón por la que he venido aquí, a pesar de que realmente todavía debería estar en el Consejo de Familia —ella hizo una pausa antes de anunciar solemnemente—: ¡Quisiera invitarte a nuestra fiesta de regreso a casa, que se celebrará la noche del domingo en nuestra vieja Cripta Schlotterstein!

Anton tragó saliva.

Anna ya había hablado de la fiesta de regreso a casa cuando estaban en el Valle de la Amargura... y de su deseo de aparecer en esa fiesta con Anton como pareja: ella con su vestido de encaje y Anton con el viejo traje que se había llevado del castillo en ruinas porque así lo quiso Anna. Pero le había dicho enseguida que no le parecía muy tentador encontrarse con los parientes de Anna... ¡Y mucho menos aún en la cripta!

—¿Y tía Dorothee? —empezó a decir con cautela... con la esperanza de poder aún, quizá, hacer desistir a Anna de su plan—. ¿No tienes miedo de que te haga trizas tu vestido tal como ha amenazado?

—¡No! —dijo arrogante Anna sacudiendo su denso cabello, que le llegaba hasta los hombros—. En primer lugar, el Consejo de Familia decidirá esta misma noche sobre mi propuesta. Y estoy absolutamente convencida de que la propuesta se va a aprobar y que los niños-vampiro podremos por fin vestirnos como nosotros queramos... Y segundo —añadió ella—, será una fiesta sin adultos.

—¿Sin adultos?

—¡Sí! Sólo tú y yo y Rüdiger... y Lumpi si le apetece.

—¿Lumpi también? —preguntó sorprendido Anton—. ¿Y tú crees que a Lumpi le apetecerá?

—Ni idea —contestó Anna—. Con Lumpi nunca se sabe. ¡Tú ya le conoces!

Anton asintió angustiado.

—¿No crees que el domingo tendrá que ir con su grupo de hombres? —preguntó.

—¡El grupo de hombres se ha disuelto! —repuso Anna.

—¿Disuelto?

—Sí. Yo tampoco sé muy bien por qué... Sólo que tiene algo que ver con el concurso de uñas. Ahora Lumpi ha dicho que quiere organizar uno nuevo con Rüdiger.

—¿Un nuevo concurso de uñas?

—No, un nuevo grupo de hombres. Por desgracia —suspiró Anna—. Probablemente pronto te preguntarán si quieres participar.

—¿A mí? —dijo confundido Anton—. Pero si yo casi nunca tengo tiempo... Por las noches, quiero decir.

—De todas maneras te van a preguntar. Sobre todo porque así podrán ingresar la cuota de socio.

Anton sintió que se le ponía la carne de gallina, pues ya se imaginaba qué tipo de cuota de socio le iban a exigir los dos a él... siendo un ser humano.

—¡Seguro que no voy a participar! —declaró con la voz ronca.

Anna sonrió.

—También nosotros podríamos formar un grupo..., tú y yo —dijo ella—. ¡El grupo Romeo y Julieta!

Anton se puso colorado. Se dio media vuelta e hizo como si buscara algo en su escritorio.

Más preguntas todavía

—Pero ahora tengo que irme —oyó decir a Anna.

—¿Ya?

Anton se dio la vuelta sobresaltado.

—¡Sí! ¡De modo que hasta el domingo!

Ella volvió a sonreír y extendió los brazos por debajo de la capa.

—¡Es... espera! —dijo atropelladamente Anton—. Lo de la fiesta de regreso en vuestra cripta... Yo..., yo preferiría no ir.

Anna dejó caer los brazos.

—¿Que preferirías no ir? —repitió ella.

Durante un momento se quedó sin habla, pero luego se le puso la cara roja de furia y gritó:

—¡A ti te parece muy fácil, ¿no?! Yo tengo que hablar como un libro para conseguir que mis padres, mis abuelos y mi tía nos den permiso para poder celebrar esta vez la fiesta de regreso sólo nosotros, los niños vampiro, sin los mayores. ¡Y todo eso ha sido sólo por ti, porque dijiste que no querías asistir a la fiesta con mis parientes! ¡Y ahora que consigo convencerles, vas tú y dices que preferirías no ir!

Cerró indignada los puños.

—Yo… —murmuró Anton sintiéndose muy mal—. A mí me gustaría ir… —dijo titubeando.

—¿Pero? —exclamó Anna.

—Es por Lumpi —reconoció Anton.

—¿Por Lumpi?

Anton asintió con la cabeza.

—En el Valle de la Amargura… Lumpi me obligó a que le enseñara cómo se juega a los bolos. Y cuando iba a lanzar la bola se partió la uña del dedo… y eso justo antes del concurso de uñas.

¡A Anton le volvieron a temblar las rodillas sólo de pensar en el terrible grito que pegó Lumpi!

—Sí —prosiguió Anton—, y luego me gritó que se las iba a pagar. Que aún no sabía cómo, pero que ya se le ocurriría algo; ¡algo que yo no iba a olvidar en toda mi vida!

—No fue muy amable por parte de Lumpi meterte miedo —dijo compasiva Anna. Su furia contra Anton, ¡afortunadamente!, parecía haberse esfumado—. Pero no te preocupes —siguió diciendo—. Ya le echaré yo la bronca a Lumpi.

—¿Tú crees que eso servirá de algo?

—¡Seguro que sí! Lumpi se pone furioso enseguida, pero enseguida se calma también. Sus ataques de furia y sus amenazas no debes tomártelos tan en serio.

«¿Que no me los tome tan en serio?», pensó dudándolo Anton.

—¿Y entonces cómo vas a… echarle la bronca? —preguntó él.

—Bueno, ¡pues hablando con él! —contestó Anna—. Si se le pilla en el momento apropiado, él puede ser muy cariñoso y muy sociable.

—¿De verdad? —preguntó Anton no muy convencido.

—Sí. ¡Bueno, pues hasta el domingo, Anton! —dijo Anna disponiéndose a salir volando.

—Espera, todavía tengo que preguntarte algo —dijo Anton. Y es que se había acordado de que quería saber si Anna se había enterado de algo del vampiro misterioso.

—¿Preguntarme? ¿El qué? —dijo Anna mirando intranquila hacia la ventana.

Anton carraspeó.

—El señor Schwartenfeger, el psicólogo al que van mis padres —empezó a decir—. Bueno, y yo algunas veces también —completó en honor a la verdad—. El señor Schwartenfeger afirma tener como paciente a un… ¡vampiro!

—¿Cómo que… afirma? —preguntó impaciente Anna—. ¿Es un vampiro o no?

—Ojalá supiera… —contestó Anton—. ¡Pero es que hasta ahora no le he visto nunca! El caso es que al parecer su imagen no se refleja en el espejo.

Al decir aquello tuvo una sensación de culpa por decir lo de que no se reflejaba en el espejo delante de Anna, que tanto se esforzaba en no convertirse en un auténtico vampiro.

—¿No se refleja en el espejo? —repitió Anna.

Anton vio con alivio que ella no parecía sentirse ofendida, sino sólo sorprendida.

—No, y ahora quería preguntarte si tú sabes acaso quién es ese vampiro —dijo Anton.

—¿Yo? ¡No! No puede ser nadie de mi familia —repuso decidida Anna.

Agarró la mojada capa de vampiro de Rüdiger y se subió al poyete de la ventana.

—Pero ahora no me queda más remedio que irme —dijo ella—. Si no, me van a expulsar del Consejo de Familia.

Ella levantó el brazo derecho mientras sujetaba contra sí con el izquierdo la capa de Rüdiger. Movió entonces de forma uniforme su brazo derecho arriba y abajo hasta que, lentamente y un poco sesgada, se elevó en el aire.

—Hasta el domingo, Anton —dijo ella—. ¡Ah!... ¡Y no creo que el paciente que estaba en la casa del señor Warzenpfleger sea un auténtico vampiro!

Y luego se marchó volando.

¿Ninguna chica?

—¿Qué, Anton, cómo va lo de la fiesta? —preguntó el padre de Anton durante el desayuno del día siguiente.

Anton, que estaba sentado a la mesa en pijama y daba vueltas adormilado a su cacao, aguzó el oído.

—¿La fiesta?

¿Sabría su padre algo de la fiesta de regreso a casa de los vampiros?

Su madre se rió.

—¡Tú todavía no estás despierto del todo! ¿Se te ha olvidado que el próximo sábado vas a celebrar una fiesta con tus amigos?

—Ah, la fiesta —murmuró Anton—. No, no se me ha olvidado —dijo.

Aunque sí había algo que se le había olvidado a Anton: ¡darle a Anna la invitación para ella y para el pequeño vampiro!

—¿Has distribuido ya todas las invitaciones? —quiso saber su padre.

Anton hizo un movimiento tan violento que casi tira la taza.

—¡No!

Sus padres cambiaron una mirada.

—Probablemente Anton todavía no se ha atrevido a ir a casa de Tatiana —dijo la madre de Anton riéndose como si hubiera contado un chiste buenísimo.

—¡Te equivocas! —gruñó Anton—. A Tatiana ni siquiera la voy a invitar.

—¿Qué? ¿No va a venir ninguna chica? —preguntó escandalizada su madre.

—¡Yo no he dicho eso! —repuso Anton.

—Si no viene Tatiana…, ¿qué chica va a venir entonces? —preguntó con curiosidad su padre.

—Bueno… —dijo Anton con una risita irónica—. Desgraciadamente eso no puedo decirlo todavía. Y además —dijo en tono misterioso—, ¡a lo mejor invito incluso a varias chicas!

—¿A varias? —repitió alegre su madre—. Eso suena como si estuvieras empezando a cambiar tu opinión sobre las chicas.

Anton puso una cara muy arrogante.

—Primero: tú no sabes en absoluto cuál es mi opinión sobre las chicas —repuso—. Y segundo: ¡depende de cada chica!

—O sea, que sólo viene una chica a la fiesta —aventuró su padre.

Anton le dirigió una mirada elogiosa.

—Sea como sea es una sorpresa —contestó—. ¡No, son dos incluso!

—Yo creo que tú has visto demasiados programas de adivinanzas —dijo mordaz su madre.

Anton se rió burlón.

—¡Pues a mí me gustaría saber lo antes posible a quién has invitado! —declaró ella—. Al fin y al cabo la fiesta se celebra en nuestro piso y creo que yo también tengo algo que decir ahí.

—¿Y papá no?

Su padre se rió.

—¡Seguro que tú escoges y convidas a los invitados adecuados!

—Escogerlos es más fácil que invitarlos —dijo Anton divirtiéndose con el perplejo rostro que pusieron sus padres.

CON LA MEJOR INTENCIÓN

Y llegó el viernes.

Ya nada más despertarse Anton notó lo nervioso que estaba, pues esta vez quería saber como fuera algo sobre el paciente del que el señor Schwartenfeger afirmaba que su imagen no se reflejaba en el espejo.

Cuando todavía estaba dudando si empezar a hablar inmediatamente, sin circunloquios, de la iniciativa ciudadana *Salvad el viejo cementerio* y del misterioso paciente, llamaron a la puerta de su habitación.

—¿Sí? —gruñó.

El padre de Anton abrió la puerta.

—¿Ya estás despierto? —preguntó.

Anton se tapó con la manta hasta la barbilla.

—No.

—¡Qué lástima! —dijo su padre—. Si hubieras estado despierto, te habría contado una cosa emocionante.

—¿El qué? —preguntó Anton.

—¡Ah, vaya!

Su padre entró en la habitación y se sentó en la silla del escritorio de Anton.

—Seguro que vas a saltar inmediatamente de la cama lleno de entusiasmo —empezó a decir de buen humor—. Y es que hemos decidido ir a la playa... ¡Al fin y al cabo hoy es nuestro último día de vacaciones!

Como Anton, sin embargo, siguió acostado y puso una cara más bien de rechazo, preguntó sorprendido:

—¿Es que no te apetece?

Anton vaciló.

La propuesta no era mala; sólo tenía una pega:

—¿Y a qué hora vamos a volver?

—Pues por la noche, además nos pegaremos una cena de muerte —contestó su padre.

—¿Una cena de muerte? —repitió Anton riéndose disimuladamente—. Mejillones envenenados, ¿no?

—No —dijo su padre. Y en tono de reproche añadió—: ¡De verdad que tú le amargas la vida a cualquiera!

Anton se calló. ¿Debería decir que no quería perderse por nada del mundo su consulta con el señor Schwartenfeger? Eso no haría más que despertar las sospechas de sus padres.

—Vosotros también me amargáis la vida a mí —declaró.

—¿Qué quieres decir?

—Pues que vosotros siempre pensáis que yo no tengo mis propios planes. Pero yo también tengo algo previsto para hoy.

—Ah, ¿sí?

—¡Sí! ¡He quedado con Ole para jugar al hockey! Y después tengo que ir a ver al señor Schwartenfeger.

Anton esperaba que, dicho por ese orden, haría creer a sus padres que lo que más le importaba era, sobre todo, lo de jugar al hockey con Ole.

—Bueno, también podríamos ir nosotros solos... mamá y yo —dijo su padre—. Aunque yo creía que tú ya no jugabas al hockey —añadió.

—¡Es que quiero empezar otra vez! —contestó Anton.

—Hummm —dijo reflexionando su padre—. Pues mamá ya ha llamado por teléfono al señor Schwartenfeger y ha aplazado la consulta para el viernes que viene.

—¡¿Qué?! ¡¿Que ya ha llamado por teléfono?! —exclamó indignado Anton—. ¡¿Sin preguntarme a mí?!

Su padre puso cara de desconcierto.

—Es que tú estabas durmiendo... —contestó de una forma no muy convincente—. Y además, tenía que ser una sorpresa para ti.

—¡Y sí que lo ha sido! —gruñó Anton—. ¡Sólo que, desgraciadamente, es una mala sorpresa!

—¡Anton! ¡Bueno, anda, no te pongas furioso! —intentó calmarle su padre—. Nosotros sólo lo hemos hecho con la mejor intención.

—¿Con la mejor intención? —repitió Anton resoplando indignado.

—¡Sí! Porque nos hemos acordado de que tú no puedes soportar a los psicólogos. Y por eso nos hemos dicho que no íbamos a aguarte encima tu último día de vacaciones…

Anton suspiró profundamente.

—¡Pues eso es justo lo que habéis conseguido! —exclamó, y de repente se le saltaron las lágrimas.

Rápidamente se tapó la cabeza con la manta.

Oyó cómo su padre se levantaba y abandonaba la habitación. Poco después escuchó pasos que se aproximaban.

Bastante misterioso

—¿Anton?

Aquélla era la voz de su madre.

—¿Qué pasa? —preguntó él debajo de la manta.

—Papá dice que no quieres venir con nosotros a la playa. ¿Eso es cierto?

—Sí.

—¿Y si le preguntamos a Ole si quiere venir?

—No. Yo quiero quedarme aquí y jugar al hockey.

—Está bien —dijo la madre de Anton después de una pausa—. Si para ti jugar al hockey con Ole es más importante... —la voz de ella sonó ofendida—. ¡Pero entonces tendrás que ir también a ver al señor Schwartenfeger! —exigió.

Anton estuvo a punto de soltar un grito de alegría debajo de la manta. ¡Afortunadamente su madre no podía ver lo poco que le asustaba a él aquella «amenaza»!

—Le voy a llamar ahora mismo por teléfono y le voy a preguntar si todavía tiene la hora libre —anunció ella.

Anton se quitó la manta de encima rápidamente.

—Tal vez podría ir más tarde, porque Ole y yo vamos a estar muchísimo tiempo jugando al hockey... Hasta que se haga de noche.

—Tu interés por el hockey es un poco repentino, ¿no? —observó su madre.

—Sólo estaba adormecido —contestó Anton—. Exactamente igual que os pasa a vosotros.

—¿Qué quieres decir con eso?

—Bueno, pues... vosotros tampoco hacéis ya gimnasia de mantenimiento... ¡Y papá ha dicho que desde que no la hacéis habéis engordado dos kilos cada uno!

Su madre se puso colorada.

—Nuestro interés no está adormecido —declaró ella muy digna—. Pero es que nosotros tenemos muchas cosas que hacer y no podemos entregarnos sólo a los placeres... ¡como tú!

—Pues si eso es así —dijo Anton riéndose irónicamente a sus anchas—, entonces no podéis dejar de ir a la playa... ¡Por placer y para adelgazar!

Su madre le lanzó una mirada furiosa.

—Voy a llamar por teléfono ahora mismo.

Después de decir aquellas palabras, salió ruidosamente de la habitación.

Cuando ella se marchó, Anton se fue corriendo al armario. De debajo del vestido de encaje de Anna sacó su viejo palo de hockey, que hacía una eternidad que no utilizaba, y lo puso al lado del escritorio… por si acaso su madre preguntaba por él.

Luego esperó impaciente a que ella regresara.

Anton oyó por fin sus pasos e inmediatamente después su madre entraba en la habitación.

—Acabo de hablar por teléfono con la madre de Ole —le anunció en tono catastrofista y mirándole de forma penetrante.

—¿Con la madre de Ole?

Anton se quedó aterrado.

Entonces seguro que ella se había enterado de que él no había quedado con Ole…

—¿Y qué ha dicho? —preguntó apocado.

—¡Ella no sabía absolutamente nada de que hubierais quedado! Y Ole tampoco se acordaba muy bien del todo.

—¿No muy bien del todo…? —repitió Anton. O sea, que Ole no le había delatado.

—¡Sea como sea, el asunto de vuestro hockey sigue siendo bastante misterioso! —opinó descontenta su madre—. Pero la madre de Ole —añadió ella después de una pausa— ha dicho que vayas de todas formas, hubierais quedado o no. E incluso te va a llevar en coche a ver al señor Schwartenfeger.

—¿Que me va a llevar en coche? —dijo Anton, y su corazón saltó de alegría.

¡Al parecer sus padres habían decidido hacer una excursión sin él!

—¿Y a qué hora es la consulta con el señor Schwartenfeger? —preguntó nervioso.

—A las ocho y media —contestó su madre.

Anton respiró con dificultad.

—¿Tan tarde?

—Sí, ya no quedaba ninguna hora antes —le explicó ella—. Y el señor Schwartenfeger me ha dado esta hora haciendo una excepción... por habérselo pedido yo. Ésa es precisamente la hora de consulta para los que trabajan. ¡Pero al fin y al cabo hoy es tu último día libre y las vacaciones han sido... eh, un cierto fracaso!

¡Anton se mordió la lengua para que su madre no se diera cuenta de lo mucho que se alegraba por aquel extraordinariamente afortunado añadido!

—Y nosotros te recogeremos luego, a las diez menos cuarto —añadió ella.

CANELA Y AZÚCAR

Una hora más tarde Anton estaba en la acera viendo cómo sus padres se montaban en el coche. Iban vestidos como si fueran a emprender una expedición al Polo Norte: con botas de marcha, abrigo de plumas, bufandas, gorros de lana y guantes. Lo único que no pegaba mucho era el brazo escayolado que el padre de Anton llevaba en cabestrillo.

El caso es que a Anton le entraron sudores sólo de verles con sus abrigos de plumas y agradeció que le hubieran dejado quedarse.

Su madre bajó la ventanilla del coche.

—Y vete enseguida a casa de Ole —dijo ella.

Aquella advertencia estaba de más, pues ¿adónde iba a ir Anton si no? ¡A aquellas horas el pequeño vampiro todavía estaba durmiendo profundamente!

—Sí —gruñó él.

—¡Y que te lo pases bien! —exclamó ella, y se puso en marcha.

«¡Eso espero!», pensó Anton suspirando.

A Anton le pareció que la madre de Ole fue realmente muy simpática. En la comida hubo arroz con leche con canela y azúcar. Y por la tarde, incluso, merengues, los pasteles favoritos de Anton, y además cacao con mucha nata.

A Anton le supo todo de maravilla, pues últimamente sus padres estaban entusiasmados por todo lo «sano» y siempre le estaban diciendo que el azúcar blanco y la harina blanca eran malos para la salud. A continuación Anton y Ole se fueron al parque a jugar al... ¡fútbol!

Y después de la cena, que tampoco estuvo mal —le pusieron una gigantesca porción de helado de vainilla con frambuesas calientes— la madre de Ole sacó su coche del garaje y Anton y Ole se sentaron en el asiento de atrás.

La madre de Ole examinó el plano de la ciudad.

—El señor Schwartenfeger este... tiene su consulta casi al otro extremo de la ciudad —dijo ella.

Anton asintió con la cabeza.

—Mi madre casi siempre se pierde.

Aquello realmente no era verdad, pero a lo mejor así le impresionaba a la madre de Ole.

Y, además, Anton quería llegar a la casa del señor Schwartenfeger lo más tarde posible, ¡pues si el misteriosísimo paciente era realmente un vampiro, sólo podría estar en la consulta después de haberse puesto el sol!

Sin embargo, la madre de Ole no se perdió y llegaron a la puerta de la casa del señor Schwartenfeger mucho antes de lo que Anton había esperado... y cuando todavía se veían los últimos rayos del sol poniente.

Anton dio las gracias y, rápidamente antes de que a Ole y a su madre se les ocurriera acompañarle, se bajó del coche y echó a correr hacia la casa.

Enigmáticas insinuaciones

El portal estaba oscuro. Anton tanteó buscando el interruptor y respiró aliviado cuando lo encontró y se encendió la luz. Luego llamó al timbre de la puerta de la consulta.

La señora Schwartenfeger abrió la puerta.

—¿Ya estás aquí? —dijo ella..., pero al contrario que el martes anterior, no le pidió que entrara.

—Me ha traído la madre de un amigo —explicó Anton.

Se dio cuenta de que esta vez no olía a coliflor, sino a un perfume pesado y dulzón. Era un olor que Anton hasta aquel momento nunca había advertido ni en la señora Schwartenfeger ni en su marido. Así que en la consulta tenía que haber alguien más... ¡Alguien que usara aquel fuerte perfume! ¿Sería acaso el misterioso paciente cuya imagen al parecer no se reflejaba en el espejo?

De todas formas, si realmente era él, entonces no podía ser un auténtico vampiro, pues... ¡todavía no se había puesto del todo el sol!

Sorteando con la mirada la figura de la señora Schwartenfeger, buscó con la vista las perchas del guardarropa..., con la esperanza de descubrir allí un sombrero o un abrigo:

cualquier cosa que pudiera proporcionarle alguna información sobre la persona que usaba aquel perfume.

Pero las perchas estaban vacías.

—¿Es que hay alguien delante de mí? —preguntó él.

—¡Efectivamente! —contestó la señora Schwartenfeger dirigiendo la mirada hacia el pasillo…, una mirada preocupada y temerosa, según le pareció a Anton—. Un paciente algo especial —dijo ella en voz baja, y añadió—: ¿Sabes? Un psicólogo tiene muchos, ¿cómo lo diría yo?…, muchos pacientes fuera de lo normal. Y este que acaba de llegar…

Ella se interrumpió y carraspeó.

—¿Qué pasa con él? —preguntó entusiasmado Anton.

¡Los titubeos de la señora Schwartenfeger, su gesto preocupado y temeroso, el extraño olor y las enigmáticas insinuaciones de ella no habían hecho más que aumentar su curiosidad!

Sin embargo, la señora Schwartenfeger repuso evasiva:

—Sería mejor que esperaras fuera, a la puerta de la casa.

—¿A la puerta de la casa?

¡Anton de ninguna manera iba a dejar que le echaran ahora!

—Yo…, es que tengo ganas de hacer pis —afirmó él, dando saltitos sobre una y otra pierna como si no pudiera aguantarse más.

—¿Que tienes ganas de hacer pis? —repitió la señora Schwartenfeger.

Tras dudarlo un poco ella dijo:

—Está bien, anda, entra.

Anton entró al pasillo con una sonrisa de satisfacción.

—Es la penúltima puerta a la izquierda —le explicó la señora Schwartenfeger.

—Ya lo sé —dijo Anton.

CARA A CARA

Conforme iba avanzando por el pasillo, el olor dulzón se iba haciendo más fuerte. ¡Brrrr! ¡Olía como si alguien hubiera usado un fracaso entero de lirio de los valles, pero antiquísimo!

La sala de consulta del señor Schwartenfeger estaba al final del pasillo y tenía una gruesa puerta forrada de tela. Anton notó cómo se sentía fuertemente atraído a ir hacia la puerta de la sala de consulta, a abrirla y ver de una vez quién era aquel misteriosísimo paciente.

Pero no lo hizo; en lugar de ello, se quedó parado delante de la puerta del cuarto de baño.

Era extraño: con el dulzón y pesado olor se mezclaba otro a podredumbre y moho... Ese tufillo especial que sólo tenían... ¡los vampiros!

—No te quedes en el pasillo —le conminó la señora Schwartenfeger—. Entra en el cuarto de baño, ¿me oyes? El paciente puede salir en cualquier momento.

—¿Cómo dice? —preguntó Anton.

—¡Que no te quedes en el pasillo! —exclamó otra vez la señora Schwartenfeger; en esta ocasión su voz sonó tan apremiante que Anton temió que ella fuera a ir corriendo hacia él para empujarle con sus propias manos al baño.

—¡Ya voy, ya voy! —dijo él bajando a cámara lenta el picaporte de la puerta del cuarto de baño.

Mientras tanto no quitó la vista de la puerta de la sala de consulta... con la esperanza de que se abriera y saliera el paciente.

Sin embargo, no ocurrió nada parecido, y Anton, quisiera o no quisiera, tuvo que entrar en el cuarto de baño de azulejos verdes. De todas formas, dejó una rendija abierta.

Luego corrió al inodoro, tiró de la cadena y regresó a su puesto de acecho, junto al lavabo. Anton no tuvo que esperar demasiado.

Mientras aún seguía funcionando la cisterna, oyó la voz del señor Schwartenfeger, a la que contestaba otra voz profunda, peculiar y ronca.

Anton no pudo entender de qué estaban hablando, pero sabía que había llegado el momento que con tanta impaciencia había esperado desde que oyó hablar por primera vez del paciente cuya imagen no se reflejaba en el espejo.

Le vería enseguida... y no sólo a través de la rendija de la puerta del cuarto de baño, ¡no señor! Anton había decidido salir del baño en cuanto el paciente estuviera en el pasillo. Y a pesar de ello... ahora que tenía que ponerse inmediatamente en movimiento, le temblaron las rodillas.

Hizo acopio de todo su valor... y luego salió al pasillo, palpitándole salvajemente el corazón.

—Bueno, entonces volveremos a vernos el... —oyó Anton que decía la voz del señor Schwartenfeger..., pero en medio de la frase el psicólogo se quedó callado—. ¡Anton! —dijo él, tan sorprendido como si Anton fuera un fantasma.

—Yo..., eh..., estaba en el baño —repuso Anton observando al paciente de mediana estatura, vestido con una elegancia pasada de moda, que permanecía al lado del señor Schwartenfeger.

Aquel hombre despedía un olor casi insoportable a perfume dulzón con el que se mezclaba el olor típico de los vampiros.

A Anton le latía el corazón tan fuerte que parecía que se le iba a salir: ¡ya casi no podía quedar la menor duda de que tenía delante a un vampiro, a un auténtico vampiro!

Y el aspecto de aquel extraño también era un argumento a favor: bajo una capa rosada de polvos de tocador estaba pálido como un cadáver y tenía sus grises y algo enrojecidos ojos hundidos en profundas cavernas. Su cabello era espeso y negro, de un negro antinatural, como si estuviera teñido. No le pegaba en absoluto con su rostro, que a pesar de los polvos parecía viejo... ¡centenario!, pensó Anton, y de repente le entraron escalofríos.

Volvió apresuradamente la mirada.

—Me voy a la sala de espera —dijo y, sin mirar atrás ni una sola vez, echó a correr por el pasillo hacia la sala de espera.

Hasta que no cerró la puerta tras él su corazón no se tranquilizó y no pudo pensar con más claridad.

Un vampiro, un auténtico vampiro en la consulta del señor Schwartenfeger...

Pero ¿cómo era posible que aquel vampiro pudiera abandonar su ataúd antes de haberse puesto el sol?

Ir demasiado lejos

Mientras Anton estaba sumido en sus reflexiones se abrió de repente la puerta. Saltó sobresaltado del sillón; pero sólo era la señora Schwartenfeger.

—Ya puedes entrar en la consulta —dijo ella.

Anton la siguió lentamente... con la temerosa sospecha de que el vampiro pudiera estar todavía junto a la puerta de la consulta.

¡Y como el breve encuentro había bastado para despertar en Anton un profundo rechazo, e incluso pánico, no tenía ningún deseo de volver a verle!

Sin embargo, para alivio suyo, el pasillo estaba vacío.

Ya sólo quedaba en el aire aquel delator olor a moho, mezclado con el pesado y dulzón perfume.

En la sala de consulta, en la que el señor Schwartenfeger estaba sentado tras su grande y revuelto escritorio, aquel olor era tan fuerte que Anton no pudo evitar toser.

—¡Toma asiento! —dijo el señor Schwartenfeger guiñándole amistosamente un ojo a Anton.

Anton se sentó.

Palpitándole el corazón, Anton vio que ante el señor Schwartenfeger, encima del escritorio, estaba la gruesa cartera: el programa educativo contra los miedos fuertes.

—Bueno, Anton… —dijo el señor Schwartenfeger.

Era evidente que esperaba que Anton empezara a hablar. Éste titubeó. Por un lado estaba deseando hablar del extraño paciente. Por otro, el señor Schwartenfeger sólo le había dado hora porque él quería hablar de sus supuestos problemas con las vacaciones.

—Yo…, lo de las vacaciones… —empezó a decir.

—¿Sí?

—Bueno, pues que ya no lo veo tan grave.

—¿De veras?

—Sí. He estado pensado en las vacaciones y creo que a pesar de todo han estado bastante bien. Y mi padre realmente ya tampoco puede hacer nada con lo de su mano rota.

En su interior Anton soltó un fuerte suspiro. ¡Era muchísimo más difícil hablar de problemas que no se tienen que de los que realmente existen!

—Ya, ya —dijo el señor Schwartenfeger—. ¿Y lo de que no pudieras usar tu tienda de campaña? —preguntó después de hacer una pausa—. ¿No estás decepcionado por eso?

Anton tuvo dificultades para reprimir una risa irónica.

—Sí, naturalmente —dijo—. Pero no demasiado. Creo que mis padres tienen razón: también hay que aprender a habituarse a las decepciones.

«¡Espero no haber ido demasiado lejos!», pensó. Pero el señor Schwartenfeger estaba visiblemente atraído por las palabras de Anton.

—¡Lo has expresado muy bien, Anton! —le elogió—. Yo creo que podemos estar contentos con el efecto que han causado las vacaciones.

—Sí, sí —dijo Anton, esperando que ahora pasaran a hablar de aquel especial paciente, y lanzó una mirada hacia la gruesa cartera que tenía delante el señor Schwartenfeger.

—¿El programa educativo?... —preguntó cautelosamente—. ¿Puede probarlo también conmigo?

El señor Schwartenfeger sonrió satisfecho..., por primera vez aquella noche.

Anton dedujo de ello que para el señor Schwartenfeger ahora se había acabado ya la parte rutinaria de la entrevista y que por fin pasarían al programa educativo elaborado por él y a su experimentación... ¡con vampiros!

¿NINGÚN MIEDO A LOS VAMPIROS?

—¿Que si lo puedo probar contigo? —dijo el señor Schwartenfeger acariciando lentamente y casi con devoción la cartera—. Sí, pero es que tú no tienes ninguna fobia; es decir, que no tienes miedos especialmente fuertes. Por lo menos tus padres no me han contado nada parecido. Al contrario: ¡ellos creen que tú te asustas demasiado poco!

—¿Eso han dicho? —preguntó halagado Anton.

—Y sí que es verdad —dijo el señor Schwartenfeger—. Con lo que me han contado tus padres…

—¿Qué es lo que le han contado? —preguntó Anton volviéndose desconfiado.

—Que tú incluso andas por ahí cuando ya se ha hecho de noche; que no tienes miedo a los cementerios; que no tienes ningún miedo a los vampiros…

¿Ningún miedo a los vampiros? ¡Aquéllas eran justo las palabras que Anton había estado esperando!

—¡Qué va! —le contradijo—. ¡Sí que tengo miedo a los vampiros! —y astutamente añadió—: Por ejemplo al que estaba ahora con usted en la consulta.

—¿O sea que crees que es realmente un vampiro? —preguntó el señor Schwartenfeger observando fijamente a Anton.

Anton asintió.

—Sí.

—Pero ¿por qué?

—¡Es el olor!

—¿El olor? —dijo el señor Schwartenfeger guiñando los ojos divertido—. ¡Admito que huele terriblemente a lirios del valle y a violetas! Pero el perfume puede comprárselo en cualquier droguería.

—No, no me refiero al perfume —repuso Anton—. ¡Es su propio olor, el que tiene que tapar con el aroma del perfume!

—¿Su propio olor?

—¡Sí, su olor de vampiro!

—Hummm… —hizo el señor Schwartenfeger, que ya no parecía tan divertido—. Tienes razón —dijo después de una pausa—. A mí también me ha llamado la atención lo rara que huele mi habitación cuando él ha estado aquí: no es sólo, ni mucho menos, a lirios del valle y violetas, sino que huele a algo así como a moho; casi como en el sótano…

—Ése es el olor de los vampiros —confirmó Anton—. Se produce porque los vampiros tienen que dormir siempre en sus antiquísimos ataúdes.

—¡Es realmente impresionante lo que sabes tú de vampiros! —dijo aprobatorio el señor Schwartenfeger.

—Sé mucho más aún —declaró Anton.

—Ah, ¿sí? ¿El qué? —preguntó el señor Schwarten-feger mirando a Anton lleno de esperanza.

Anton inspiró profundamente.

—Se les puede reconocer por su pálida piel…, por sus ojeras la mayoría de las veces… y porque nunca pueden exponerse al sol.

—¡Justo! —exclamó el señor Schwartenfeger.

Anton le miró perplejo.

—Justo ahí es donde radica el problema para mí —dijo el señor Schwartenfeger—. Con mi programa, con mi programa de desensibilización, deben aprender a exponerse a los rayos del sol.

—¿Y eso los vampiros pueden… aprenderlo?

Durante unos segundos Anton se quedó sin habla.

—No tengo la prueba definitiva de ello… Todavía no —contestó el señor Schwartenfeger—. ¡Pero la encontraré en cuanto pueda experimentar mi programa con un auténtico vampiro!

Igno Rante

—¿Y el que estaba aquí hace un rato? —preguntó Anton—. ¿Es que no es un auténtico vampiro?

—Ojalá lo supiera… —contestó el señor Schwartenfeger—. Él dice que no es un vampiro, pero cuando empezamos con el programa sólo venía a verme de noche, cuando ya se había puesto el sol.

—¿Y ahora viene también antes de haberse puesto el sol?

—Sí, aproximadamente media hora antes. He intentado un par de veces saber algo más concreto sobre él: dónde vive, qué edad tiene, de dónde es… Pero él sólo me dice que se llama Igno Rante y que no es ningún vampiro.

De los nervios Anton se mordió con tanta fuerza los labios que se hizo daño.

Lo que el señor Schwartenfeger le había contado era increíble, absolutamente sensacional… ¡Por descontado, aquel Igno Rante era realmente un vampiro!

Y el hecho de que él afirmara que no lo era no quería decir absolutamente nada; sin duda lo afirmaba para protegerse. Y después del encuentro en el pasillo, Anton no tenía ninguna duda; no, estaba completamente seguro de que aquel extraño hombre de pelo negro no era un ser humano, sino… ¡un vampiro!

—Yo ya me he estado rompiendo la cabeza pensando cómo podría averiguar si es un auténtico vampiro —oyó que decía entonces el señor Schwartenfeger.

—¿Y ha averiguado usted algo?

—Bueno, en la guía telefónica no aparece, y tampoco parece conocerle nadie. Pero luego ha habido una cosa que me ha dejado perplejo…

—¿Perplejo? ¿El qué?

—¡Ese fanático guardián del cementerio, Geiermeier! Le dijo a un reportero que quería tener el primer cementerio sin vampiros de Europa, y por eso empezó a arreglar la parte vieja del cementerio. Al menos eso fue lo que dijo el periódico… Sí, y eso fue lo que me hizo ponerme en guardia. Si efectivamente mi paciente, Igno Rante, es un auténtico vampiro —pensé—, entonces vivirá probablemente en el cementerio. Y si el tal Geiermeier habla de que quiere tener el primer cementerio sin vampiros de Europa, entonces es que tiene que haber observado algo en el cementerio. ¡Algo que le ha reforzado en su opinión de que allí hay vampiros!

El señor Schwartenfeger hizo una pausa. Antes de seguir hablando respiró profundamente un par de veces.

—Y si realmente en el cementerio hay vampiros, pensé, entonces uno de ellos tiene que ser mi paciente… ¡Igno Rante! Y para que ese Geiermeier no me dejara sin paciente, decidí sin dudarlo fundar la iniciativa ciudadana *Salvad el viejo cementerio* —soltó un profundo suspiro—. ¡Sí, y con esa iniciativa ciudadana conseguí parar las obras del cementerio!

El propio ataúd

—Pero ese Igno Rante quizá no viva en el cementerio —objetó Anton.

El señor Schwartenfeger frunció el ceño.

—¿Y dónde iba a vivir si no?

—Quizá en un sótano —dijo Anton.

—¿Tú piensas que no está obligatoriamente prescrito que los vampiros duerman en los cementerios? —preguntó sorprendido el señor Schwartenfeger.

—No, los vampiros pueden dormir en todas partes…, con tal de que lo hagan en su propio ataúd. Por eso tienen que llevárselo siempre que se cambien de casa.

—El propio ataúd… —dijo el señor Schwartenfeger silbando suavemente a través de los dientes—. En eso no había pensado yo. Podría introducir en mi programa de desensibilización un ataúd, un auténtico ataúd, y ver cómo reacciona Igno Rante.

Nervioso, anotó algo en su gruesa cartera.

—Quizá eso me haga avanzar… —murmuró—. Tengo que tener por fin la certeza de si es un vampiro o no… ¿Y no puedes ayudarme tú más? —preguntó sin levantar la vista.

—¿Ayudarle más? ¿En qué sentido?

—¡Presentándome, por ejemplo, a tus dos extraños amigos!

—¿A mis dos extraños amigos? —repitió Anton.

Sólo podía referirse a Anna y al pequeño vampiro.

—¿Y por qué voy a tener que presentarle a mis amigos? —preguntó Anton de mal humor.

El señor Schwartenfeger se rió.

—No te preocupes, no les pasará nada. Pero es que tu madre me ha hablado tanto de capas negras, de pálidos rostros y de excursiones nocturnas, que siento curiosidad simplemente. Y además, quizá tus amigos conozcan a algún vampiro de verdad.

—¿Por qué lo cree usted?

—Bueno, pues si siempre van por ahí vestidos de esa forma tan rara, podría ser que alguna vez se les acercara un vampiro de verdad que les... —sonrió satisfecho— ¡tomara también por vampiros! ¿No crees que eso podría pasar?

—¿Que se les acercara un vampiro de verdad?

Anton contrajo con un gesto de duda la comisura de los labios para no dejar que el señor Schwartenfeger se diera cuenta de lo nervioso que estaba.

—Y si realmente conocieran a un vampiro, ¿qué pasaría entonces? —preguntó con voz ronca Anton.

—Bueno... —dijo el señor Schwartenfeger haciendo un seductor ademán—. Entonces yo le preguntaría a ese vampiro si querría hacer mi programa de desensibilización para perder su miedo a los rayos del sol.

Anton, completamente perplejo, se quedó callado. Las posibilidades que se les abrían ahí a los vampiros eran tan enormes que él no sabía si tenía que creer en ello o todo no era más que un delirio.

Pero allí, encima del escritorio, estaba la gruesa cartera con el programa didáctico. E Igno Rante era un vampiro… ¡De eso no había dudado Anton ni un solo instante!

—Ese programa… —empezó a decir, pero entonces llamaron a la puerta.

CONJURADOS EN SECRETO

—¿Qué pasa? —exclamó indignado el señor Schwartenfeger exactamente igual que el martes anterior.

Se abrió la puerta y la señora Schwartenfeger asomó la cabeza.

—Han llegado los padres de Anton —dijo ella volviendo a cerrar la puerta sin hacer ruido.

El señor Schwartenfeger miró su gran reloj de pulsera.

—¡Oh! —dijo—. Pero si ya hace mucho que se ha pasado la hora…

Se puso en pie.

También Anton se levantó de la silla todavía muy conmovido y con las piernas curiosamente temblorosas. Las cosas de las que se acababa de enterar eran tan extraordinarias, tan tremendas, que el aviso de que habían llegado sus padres, completamente de improviso, le afectó muchísimo.

Tragó saliva.

—Mis amigos… —dijo—. Yo… les preguntaré si conocen algún vampiro. Si conocen a alguno, ¿quiere que le llame por teléfono?

—¡Sí, es buena idea!

El señor Schwartenfeger abrió un cajón de su escritorio, sacó una hoja y se la dio a Anton.

—Aquí está mi número —dijo.

Era la misma octavilla que había en la sala de espera.

Anton la leyó:

—«Ayúdenos con su firma. Para más información diríjase a J. Schwartenfeger. Teléfono: 48 12 18».

—¿Puedo llevarme la hoja? —preguntó Anton.

—¡Naturalmente! Pero espera... —dijo el señor Schwartenfeger sacando del bolsillo de sus pantalones de pana una libreta roja y hojeándola—. Quizá me quede alguna hora libre el lunes. ¿Crees que tendrías tiempo a las seis y media?

Anton asintió con la cabeza.

—¡Claro! —dijo, añadiendo en sus pensamientos: «Pues entonces tendré que faltar al curso de cerámica».

¡Seguro que a sus padres les parecería que una entrevista con el señor Schwartenfeger era mucho más importante!

Y Anton estaba en lo cierto.

Su madre puso, eso sí, cara de preocupación cuando se enteró de que el lunes tenía que volver de nuevo a la consulta del señor Schwartenfeger, y su padre no pudo evitar una broma:

—¡Anton parece tener una verdadera montaña de problemas!

Sin embargo, propuso enseñarle a Anton una línea de autobús con la que Anton podría ir él solo al psicólogo sin tener que hacer transbordo.

En este sentido todo había salido muy bien.

Y, sin embargo, cuando poco después se fue a la cama, Anton no pudo dormirse.

¡Si era cierto lo que el señor Schwartenfeger le había dicho sobre ese programa didáctico suyo de nombre impronunciable, eso significaba una revolución para los vampiros!

Pensó en Anna y se acordó de con cuánta vehemencia había deseado ella poder estar con él en clase aunque fuera solamente una vez.

Si el programa funcionaba, quizá ella pudiera ir todos los días a la escuela..., si es que tenía ganas de ello.

Pero no sería sólo la escuela: los vampiros podrían ir de compras, a la peluquería, al dentista...

Quizá con el paso del tiempo tampoco estarían ya tan pálidos y podrían tener un ligero... bronceado. ¡Así ya no deberían temer que la gente se diera cuenta de que eran vampiros y los persiguieran!

Si el programa didáctico del señor Schwartenfeger tuviera realmente el efecto esperado... En aquellas condiciones a Anton le pareció que ser vampiro era incluso bastante atractivo...

Pues eso significaría tener una vida eterna y, a pesar de ello, poder seguir viviendo como hasta ahora..., con un cierto cambio en las costumbres culinarias al que sin duda se habituaría uno pronto. Y así Anton siempre estaría con el pequeño vampiro... y con Anna.

Notó cómo se le ponían las orejas coloradas.

¡No, no debía pensar ahora en ello!

En primer lugar había que comprobar lo más inmediato; o sea: si el programa funcionaba o no.

Con relación a eso ahora el señor Schwartenfeger y él eran aliados... No, conjurados es lo que eran, ¡conjurados en secreto!

Con aquellos pensamientos Anton se quedó dormido.

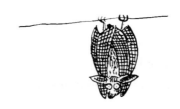

Con miel

Durante el desayuno de la mañana siguiente Anton todavía estaba afectado por la impresión que le había causado la entrevista con el señor Schwartenfeger, y masticaba sin tener realmente apetito su panecillo con pasas.

—¡Parece que ya estás nervioso por el lunes! —observó su madre.

—¿Por el lunes? —repitió Anton levantando la vista de su plato.

¿Le habría contado el señor Schwartenfeger algo de su programa didáctico?

Pero entonces ella dijo:

—¡Seguro que el lunes tenéis un examen y todavía no lo has preparado!

—Ah, te refieres a la escuela —dijo Anton bostezando ostensivamente—. No, no tenemos ningún examen —dijo, y astutamente añadió—: ¡Mi profesora no es mala como tú!

Su madre jadeó de furia.

—¿Cómo tengo que entender eso?

—¡Bueno, al parecer tú sí pones un examen el primer día de clase!

—No, no lo pongo —le contradijo ella—. Pero por la cara que has puesto he pensado que es que te esperaba algo desagradable.

—¿A mí? ¿Algo desagradable?

Anton sonrió irónicamente y, con el pensamiento fijo en la fiesta de regreso a casa que los vampiros organizaban el domingo, dijo:

—Si todo quedase entre nosotros, podría estar bastante bien.

—¡Entre vosotros! ¡Ya, ya! —dijo maliciosamente su madre—. Lo mejor sería suprimir a todos los profesores y así a vosotros, los alumnos, no os molestaría nadie, ¿verdad?

—Seguro que Anton no quería decir eso —aseveró el padre de Anton—. Y ahora deberíamos pensar qué es lo que nos falta por comprar todavía. Supongo que Anton necesita batidos para la escuela.

—¡Efectivamente! —dijo Anton pensando que así tendría un par de regalos para la noche siguiente, ¡para Anna!—. Y tabletas de chocolate —completó él.

—¿Tabletas de chocolate? —repitió su madre frunciendo el ceño—. ¿No habíamos quedado en que tú ya sólo ibas a comer barritas de cereales con miel?

—Ole está de la mañana a la noche comiendo golosinas.

—¡Ole! —dijo mordaz su madre.

—¡Sí, y por eso juega al fútbol mucho mejor que yo!

—¿Al fútbol? —dijo el padre de Anton—. Yo pensaba que jugabais juntos al hockey.

—Al fútbol y al hockey.

—Sea como sea, en tu fiesta del próximo sábado sólo habrá cosas sanas —declaró la madre de Anton.

—¡Pues sí que nos vamos a divertir! —suspiró Anton.

Su padre se rió.

—Quizá no deberíamos ser tan severos con la comida, Helga —dijo—. Mañana en casa de los abuelos seguro que habrá también tarta de crema y helado y pasteles... ¡Y seguro que la abuela no cocina con miel!

—¡¿Qué?! —gritó Anton—. ¿Que vamos a casa de los abuelos? ¿No será hasta por la noche?

—¿Por qué no?

—Porque... —carraspeó Anton—, porque sí que tenemos que hacer un examen —y como las matemáticas se le daban bastante mal añadió—: Un examen de matemáticas.

Mala memoria

—¿Un examen de matemáticas? —preguntó su madre, que se había puesto pálida—. ¿Por qué no lo has dicho antes?

—¿Que por qué?

¡Anton mal podía admitir que lo del examen de matemáticas se le acababa de ocurrir en aquel momento!

—No había pensado en ello —dijo Anton.

—¿Que no habías pensado en ello? —repitió indignada su madre.

—Bueno, es que... Después de las dos semanas de vacaciones tan llenas de aventuras... —observó mordaz Anton.

Aquello surtió efecto: sus padres intercambiaron una mirada de culpabilidad y luego su padre le ofreció con extraordinaria amabilidad:

—A mamá y a mí nos gustaría ayudarte a preparar el examen.

—No, gracias, prefiero hacer los ejercicios yo solo —contestó él—. ¡Mañana después de comer, cuando estéis en casa de los abuelos!

—¿Precisamente cuando estamos invitados a tomar un café tan agradable? —preguntó descontenta la madre de Anton—. ¿No quieres hacer los ejercicios hoy?

—No. Primero: así la casa estará completamente en silencio. Y segundo: ¡tú siempre dices que yo tengo mala memoria! ¡Y si hago los ejercicios, quizá para el lunes ya se me haya olvidado todo!… Y tercero: ya iremos más a menudo a tomar café a casa de los abuelos.

En contra de eso ni siquiera la madre de Anton podía argumentar nada.

—Está bien —dijo ella—. ¡Pero tienes que prometerme que estudiarás y no leerás tus libros de vampiros!

—Si te sirve de consuelo —contestó Anton—, por desgracia ya me los he leído todos.

—¿Y eso tiene que servirme de consuelo? —dijo ella riéndose… algo molesta—. ¡Por lo que yo te conozco, seguro que vuelves a empezar con uno de esos libros desde el principio!

—Tu sabrás —dijo Anton.

En secreto reconoció, sin embargo, que realmente sí que le conocía bien. Quizá demasiado bien…

—Te lo prometo —rectificó.

Y, así, llegó la tarde del domingo y a Anton le dejaron quedarse solo en casa…, sólo para estudiar, como había vuelto a recalcar su madre.

Y realmente estuvo un rato haciendo ejercicios de matemáticas, pues el señor Fliegenschneider, su profesor de matemáticas, tenía predilección por las sorpresas desagradables el primer día de clase.

Luego Anton se puso a leer y, para cumplir su promesa, no un libro de vampiros, sino... de historias de fantasmas.

Sus padres regresaron a media tarde. Nada más entrar por la puerta se quejaron de que habían comido demasiado.

—Me encuentro realmente mal —suspiró la madre de Anton, que tenía la cara bastante pálida.

Anton reprimió una risa burlona.

—Yo también me encuentro mal —dijo él—. De tanto estudiar.

—Seguro que la tarta de cerezas que nos ha dado la abuela para ti te ayudará a ponerte bien —dijo su padre riéndose.

—¡Oh, tarta de cerezas! —se alegró Anton.

Sentía realmente mucha hambre. Y su abuela no sólo le había puesto un trozo, sino tres..., como si ella se hubiera figurado que Anton tenía aquella noche una cita.

¡Y como Anna tomaba leche y queso, quizá también le gustara la tarta de cerezas!

Con el hambre que tenía, Anton se comió rápidamente dos trozos, uno detrás de otro. Luego les dijo «buenas noches» a sus padres, agarró el plato con el tercer trozo de tarta y se fue a su habitación.

No ha dado resultado

Cerró la puerta con llave y abrió la ventana. Se asomó con el corazón palpitante. Ya casi era de noche y la oscuridad parecía hacer aún más fuerte el aroma a flores que llegaba hasta donde estaba Anton.

¿Serían los jazmines que crecían delante de las casas? Anton había leído en el periódico que un hombre se había quedado dormido entre jazmines y había estado a punto de asfixiarse…

Ya estaba pensando si sería mejor cerrar la ventana… cuando oyó una risita clara. Procedía del ángulo exterior más alejado de la ventana.

Y allí, muy apretada contra la pared, había una pequeña figura negra: ¡Anna!

De repente Anton comprendió por qué el aroma era tan inusitadamente fuerte: no procedía en absoluto de las plantas, sino de Anna. Ella debía de llevar algún nuevo perfume. Anton la miró poniéndose colorado.

Estaba completamente envuelta en su capa negra, que se había echado por encima de la cabeza, de forma que Anton sólo podía ver su nariz y sus grandes y brillantes ojos.

—¡Hola, Anna! —la saludó.

—Buenas noches, Anton —dijo ella con una sonrisa inusitadamente tímida, según le pareció a Anton.

—¿No quieres entrar? —preguntó él.

—Si me dejas… —contestó ella.

—¿Por qué no? —repuso Anton… perplejo por la extraordinaria cautela de ella—. Hasta tengo un trozo de tarta de cerezas para ti.

—¿Tarta de cerezas? —dijo ella saltando del alféizar de la ventana al interior de la habitación y retirándose la capa—. ¿Para mí?

—Sí.

Anton fue corriendo a su escritorio, encendió la lámpara y le llevó el plato a Anna.

Pero luego se rió apocado.

—Mi memoria realmente no es muy buena —dijo él—. ¡Se me ha olvidado el tenedor!

—Oh, no importa —contestó Anna sentándose en la cama de Anton y colocando el plato a su lado—. Yo…, de todas formas no puedo comerme la tarta.

—¿No? —preguntó sorprendido Anton.

—No.

Una triste sonrisa se asomó en la pequeña y redonda boca de ella.

—No ha dado resultado —dijo Anna.

—¿No ha dado resultado? —repitió Anton—. ¿El qué? —preguntó mirándola confuso.

—¿No lo sabes? —dijo Anna, y ahora se rió algo más fuerte, de tal forma que Anton le pudo ver los dientes… y entonces, de repente, entendió qué era lo que no había dado resultado:

Los colmillos de Anna… ¡habían crecido! Aún parecían pequeños comparados con los de los demás vampiros, pero eran claramente más largos que los restantes dientes…

Anton sintió un ligero estremecimiento.

Hacía un par de meses Anna había declarado que iba a poner todo su empeño en no convertirse en un auténtico vampiro.

Cuando él le preguntó preocupado si aquello era posible, ella respondió que sólo tenía que quererlo con la fuerza suficiente... y saber por quién lo hacía.

—De verdad que me gustaría comerme tu tarta de cerezas —dijo ella con gesto apesadumbrado—. Y también me gustaría beber leche —añadió mirando los batidos que Anton ya tenía preparados para ella encima del escritorio—, pero, sencillamente, ya no puede ser. Mi abuela, Sabine la Horrible, dice que no se puede cambiar el curso de las cosas.

Ella bajó la cabeza y sollozó suavemente, y a Anton también se le puso de repente un nudo en la garganta.

—La estúpida tarta de cerezas —observó él, simplemente por decir algo.

Anna levantó la vista. En sus ojos brillaban las lágrimas. Agarró el plato y se lo tendió a Anton.

—Toma —dijo—. Cómete tú la tarta... ¡por mí!

—¿Por ti?

Anton no tenía absolutamente ninguna gana de comerse otro trozo de tarta. Además, había perdido por completo el apetito. Sin embargo, no quiso decepcionar a Anna y se comió su tercer trozo de tarta... con los dedos.

Un elefante en una cacharrería

Mientras se lo comía, Anna le estuvo mirando… con una tierna sonrisa.

—Algo sí que podríamos cambiar —dijo ella en voz baja y de una forma muy delicada.

A Anton, que entendió enseguida qué era lo que ella estaba insinuando, le entró un ataque de tos.

—¡No! —exclamó él en mitad de las fuertes toses—. ¡No! Tú sabes perfectamente que yo no quiero.

—Pero si no hay ninguna otra forma… —repuso ella.

Anton de repente se sintió fatal.

—¡Yo no quiero convertirme en vampiro! —gritó.

Anna entonces se echó a llorar. Las lágrimas le corrían por sus mejillas, blancas como la nieve, mientras permanecía simplemente allí, sentada, mirando sus manos cruzadas sobre el regazo.

Anton se levantó avergonzado.

Se hubiera dado de bofetadas por haberse comportado de modo tan grosero y haber tenido tan poca sensibilidad. ¡A veces realmente se comportaba como un elefante en una cacharrería!

En lugar de consolar a Anna, que era evidentísimo que ya había llegado a su casa completamente desmoralizada, él lo único que había hecho era empeorar más las cosas con su inoportuno comentario (inoportuno en aquella situación) de que él no quería convertirse en vampiro.

—Yo..., quizá sí que haya otra forma —dijo él con la voz ronca.

—¿Sí? ¿Cuál? —sollozó Anna.

Anton se fue a su escritorio.

Sacó de uno de los cajones la octavilla del señor Schwartenfeger y se la tendió a Anna.

Mientras la leía, sus sollozos se fueron haciendo cada vez más débiles.

—«Salvad el viejo cementerio» —dijo ella mirando interrogante a Anton—. No comprendo... ¿A qué forma te refieres?

—Este Schwartenfeger cuyo nombre aparece en la octavilla —empezó a decir Anton... con acentuada cautela para no volver a herirla—, es el psicólogo al que yo voy y del que ya te he hablado. ¿Te acuerdas?

—¿Psicólogo?

—Sí, ayuda a las personas que... tienen problemas.

Ella volvió a sollozar.

—¡Pero yo no soy una persona!

—Bueno, él no sólo ayuda a las personas —repuso Anton, y susurrando sin darse cuenta, dijo—: Sino también... ¡a los vampiros!

—¿A los vampiros? ¡No nos habrás delatado ante ese Warzenpleger! —exclamó indignada Anna.

—¡No, claro que no! —la tranquilizó Anton—. Pero he visto en casa del señor Schwartenfeger al paciente cuya imagen parece que no se refleja en el espejo. ¡Es un auténtico vampiro!

—¿Un auténtico vampiro de paciente de un psicólogo?

—¡Sí! El señor Schwartenfeger quiere enseñarle a no tener miedo a los rayos del sol.

Anna miró a Anton con incredulidad.

—¿Él cree que puede… enseñarle eso?

—Sí. Tiene un programa de des…; bueno, se me ha olvidado el nombre exacto. El caso es que con ese programa es posible superar miedos fuertes… Por lo menos eso es lo que él afirma.

—¿Miedos fuertes? —dijo Anna poniendo cara de duda—. Yo no llamaría miedo a lo que nos hace evitar los rayos del sol. Es nuestra ley de vida, nuestra… ¡ley de supervivencia!

—Él tampoco entiende demasiado de vampiros —la intentó tranquilizar rápidamente Anton—. ¡Lo principal es que su programa funciona! Y yo he visto al vampiro en su consulta, y además… —hizo una pausa e inspiró profundamente— y además ¡antes de ponerse el sol!

Verdaderos milagros

—¿Antes de ponerse el sol? —repitió Anna—. ¿Y tú estás seguro de que era un vampiro?

—Sí —dijo Anton asintiendo con la cabeza—. Era de mediana estatura; estaba palidísimo pero iba maquillado; tenía el pelo negro azabache y los ojos sombríos. E iba vestido muy elegante, aunque con ropa bastante pasada de moda. Y no olía muy…

Anton se contuvo sobresaltado. ¡Ojalá Anna no se hubiera vuelto a sentir ofendida! Sin embargo, ella sonrió.

—Yo sí que huelo bien, ¿verdad? —dijo ella—. Este perfume es nuevo. Lo he hecho yo con las flores de los matorrales que crecen delante de nuestra casa.

—Hue… huele realmente bien —aseguró con rapidez Anton.

—¿Y qué más sabes de ese vampiro? —siguió inquiriendo Anna.

—No mucho —contestó Anton—. Sólo que se llama Igno Rante.

—¿Igno Rante? —repitió Anna. ¡Nunca he oído ese nombre! Rante…, no creo que haya ninguna estirpe de vampiros que se apellide así. ¡Qué raro! ¿Y tienes alguna idea de dónde vive?

—El señor Schwartenfeger supone que donde vosotros: en el viejo cementerio…

—¿En nuestro cementerio? No, seguro que no —repuso Anna.

Después de hacer una pausa, ella dijo:

—Pero extraño sí que es todo esto…

—¡Pues aún no sabes lo más extraño! —dijo Anton—. Ese Igno Rante afirma obstinadamente que él no es un vampiro. Pero yo estoy completamente seguro de que sí lo es.

—¿Él dice que no es un vampiro?

Una sonrisa se asomó a los labios de ella…: la misma sonrisa que antes.

—Eso no es nada extraño —dijo ella en voz baja—. Yo tampoco se lo digo a nadie… A nadie excepto a ti —añadió mirando con ternura a Anton.

Anton carraspeó avergonzado.

—Sí, y el señor Schwartenfeger —siguió diciendo él con la voz velada— me ha preguntado si mis… ejem… extraños amigos, o sea: Rüdiger y tú, conocíais a algún vampiro.

—¿Nosotros? ¿Y por qué precisamente nosotros? —preguntó con suspicacia Anna.

—Por mis padres. Ellos le han contado que vosotros siempre os disfrazáis de vampiros. Y por eso él piensa que a lo mejor alguna vez se ha dirigido a vosotros un auténtico vampiro que os... hubiera confundido.

—¿Que nos hubiera confundido? —dijo con una risita Anna—. Eso sí que tiene gracia —luego se volvió a poner seria y preguntó—: ¿Y qué es lo que quiere de nosotros?

—Él quiere, por todos los medios, averiguar si su programa realmente funciona. Y es que en el caso de Igno Rante él todavía tiene dudas, porque no sabe si es un auténtico vampiro o no.

—Ahora entiendo: ¡quiere experimentar con nosotros!

—¡No! —le contradijo Anton—. Él ni siquiera sabe que sois vampiros. Pero piensa que vosotros podríais proporcionarle un vampiro de verdad.

Como Anna no dijo nada, él siguió hablando:

—Podríais ir a verle y decirle que habéis oído hablar de él y que queréis hacer su programa. ¡Es una oportunidad única!

—Sí, si funcionara, sí —repuso Anna—. Pero yo creo que mi abuela tiene razón: no se puede cambiar el curso de las cosas. Ya lo he intentado una vez..., con el resultado de que no ha servido de nada, absolutamente de nada, y me siento peor que antes.

—Pero hoy hay unos programas estupendos —intentó animarla Anton—. ¡Unos programas que obran verdaderos milagros!

Anna se frotó los ojos con la mano.

—Me gustaría creer en ello —dijo—, pero no puedo.

Bajó los ojos y soltó un reprimido sollozo.

Anton la observó apocado y sin saber qué hacer. ¡Nunca había visto a Anna tan desanimada y tan desmoralizada!

¡Y él había creído que ella querría ir inmediatamente con él a ver al señor Schwartenfeger para empezar enseguida con el programa!

Pero su decepción por estar saliéndole los dientes de vampiro tenía que ser tan grande que ya no creía en nada y había perdido todas sus esperanzas.

—Bueno, tú piénsatelo —dijo él cauteloso.

Ella solamente asintió con la cabeza.

Perseguida por la mala suerte

Y como no se le ocurrió nada mejor, Anton se dirigió hacia su armario.

—Seguro que quieres ponerte tu vestido —dijo él sacando el vestido de encaje de Anna de debajo de su gordo jersey de invierno—. ¡Toma, lo había escondido bien!

Pero Anna ni se movió. Se quedó allí sentada sin más y parecía no interesarse por nada.

—¡Tu vestido! —volvió a decir Anton.

Ella sacudió lentamente la cabeza.

—No lo necesito.

—Pero ¿y la fiesta de regreso a casa de esta noche?... ¿No querías llevarlo puesto?

—La fiesta no se celebra —repuso sombría Anna.

—¿No se celebra? —dijo Anton, que no sabía si tenía que estar decepcionado o aliviado—. ¿Y por qué no?

—Ay, ¡por Lumpi y su estúpido grupo nuevo! Precisamente para esta noche ha tenido que organizar una reunión del grupo a la que, por supuesto, Rüdiger no puede faltar. Y una fiesta de regreso a casa a la que sólo vayamos nosotros dos... —dijo sollozando— ... ¡no sería ninguna fiesta de regreso a casa!

—Pues entonces podríamos hacer alguna otra cosa —opinó Anton.

—¿El qué?

—Podríamos ir otra vez a mi clase —dijo él pensando en lo feliz que parecía Anna aquella noche que estuvieron en su escuela y se sentaron juntos en su pupitre.

—Eso sólo me pondría todavía más triste —repuso.

—¿Y si vamos a una discoteca? —propuso Anton.

—No —repuso ella—. No me apetece nada estar entre seres humanos —luego ella, después de pensar un poco, dijo—: Pero podríamos organizar la discoteca en tu casa; aquí, en tu habitación —la voz de ella se animó—: ¡Sí, podríamos ponernos nuestros trajes y bailar!

—¿En mi casa? —dijo Anton mirando con malestar hacia la puerta, que, afortunadamente, había cerrado con llave—. Es… están mis padres. Y si pongo la radio alta, seguro que vienen enseguida.

—¿Es que no te dejan oír música?

—¡Sí, claro que sí! Pero la señora Miesmann, que vive debajo de nosotros, siempre está protestando. Y además, yo mañana tengo que hacer un examen de matemáticas y me tengo que ir a la cama muy pronto.

Anna puso cara de decepción.

—¡Nada me sale bien! ¡Absolutamente nada! Mi solicitud también la han rechazado…

—¿La solicitud que presentaste al Consejo de Familia?

—Sí. ¡Mis parientes son unos cabezotas! A los niños-vampiro nos prohíben, así por las buenas, que nos vistamos como nosotros queramos —y amargamente añadió—: ¡A mí es que me persigue la mala suerte!

—¡No, no es verdad! —la contradijo Anton.

¡Se le había ocurrido cómo le podía levantar la moral a Anna! Metió rápidamente el vestido de encaje en el armario y se dirigió hacia su escritorio.

Se volvió hacia Anna con la carta de color rojo sangre —la invitación a su fiesta— en la mano.

—¡Esto es para ti! —dijo él.

Anna abrió el sobre.

—«Querida Anna, querido Rüdiger» —leyó a media voz—. ¡Pero si es una invitación! —exclamó sin poder creérselo. Levantó la cabeza—. ¿Y tus padres están de acuerdo?

—¡Sí, sí! —dijo Anton.

Aquello respondía bastante a la verdad, ¡pues sus padres con la fiesta sí estaban de acuerdo!

—Una fiesta en tu casa después de que se haya puesto el sol —dijo Anna en voz baja y casi absorta—. ¿Y Rüdiger y yo estamos invitados y tus padres no tienen nada en contra? —la voz de ella se animó—: Oh, entonces yo me pondré mi vestido y tú tu traje.

En aquel momento unos pasos se acercaron por el pasillo.

—Anton, ¿ya estás durmiendo? —le oyó Anton preguntar a su madre.

—¡Nnn, no! —dijo él apresuradamente.

Ella llamó a la puerta y luego bajó el picaporte.

—¿Por qué has cerrado la puerta con llave? —exclamó en tono de reproche su madre.

—Porque... —dijo Anton mirando preocupado cómo Anna se subía al poyete de la ventana—. Porque todavía quería estudiar matemáticas.

—¡Pero para eso no necesitas cerrar la puerta con llave!

—Es que así puedo estudiar mejor —repuso Anton.

—¡Abre inmediatamente, por favor! —dijo ella, y el «por favor» sonó más bien como una amenaza.

—Hasta pronto, Anton —susurró Anna—. Y muchas gracias por la invitación.

—Hasta pronto, Anna —contestó Anton yéndose de puntillas hacia la puerta.

—¡Anton, te he dicho que abras! —exclamó su madre detrás de la puerta..., tan cerca que a Anton le dolieron los oídos.

Esperó a que Anna hubiera echado a volar.

Luego le dio la vuelta a la llave y se fue corriendo a su escritorio. Aún tuvo tiempo para abrir su libro de matemáticas antes de que su madre entrara en la habitación.

¡Tú y tus dichosos vampiros!

Ella se detuvo junto al escritorio.

—¡Pero si está estudiando de verdad! —dijo ella anonadada—. Papá y yo nos estábamos temiendo ya que estarías otra vez con las narices metidas en uno de esos libros de terror.

Anton no contestó nada y miró con cara de concentración su libro de matemáticas.

—¿Qué, le has sorprendido con uno de sus vampiros? —se oyó desde la puerta la voz de su padre.

Anton levantó la vista del libro y se rió irónicamente.

—Nooo, cuando mamá ha llegado, el vampiro ya se había ido volando.

—¡Muy gracioso! —dijo la madre de Anton sin reírse—. Si en esta habitación hubiera habido un vampiro, seguro que no olería tan bien a jazmines.

Ella se acercó a la ventana y se asomó respirando profundamente.

—¡Qué noche tan estupenda y tan suave! —dijo ella con ensueño—. Esta noche podríamos dormir incluso con las ventanas abiertas.

—Mejor no —dijo Anton—. Si no, van a entrar polillas... ¡O vampiros!

—¡Tú y tus dichosos vampiros! —exclamó ella de mal humor retirándose de la ventana—. Yo me pregunto: ¿cuándo vas a superar por fin esa fase vampiresca?

Anton se rió burlonamente a sus anchas.

—¿Que cuándo voy a superar la fase vampiresca? —dijo él—. ¡Nunca!

Y en sus pensamientos añadió:

«¡Por lo menos mientras esté el pequeño vampiro!».

Su padre se rió.

—¡Mañana, gracias a Dios, empieza otra vez la vida cotidiana normal y sin vampiros!

—¡Desgraciadamente! —suspiró Anton, y cerró con estruendo su libro de matemáticas.

Como los de un Bohnsack

—¡Anton tienes que levantarte!

Aquélla era la voz de su madre.

—¿Levantarme? ¿Por qué?

—¡Porque hoy es tu primer día de escuela!

—¡Escuela! Oh, no...

Anton abrió los ojos a regañadientes.

—¡Date prisa! —le urgió su madre—. Ya estamos desayunando.

—¿Papá está aquí todavía?

A Anton le parecía como si aquel día todo estuviera boca abajo. ¡Pero no era de extrañar siendo el primer día de clase!

—Sí, y ahora venga —contestó su madre saliendo de la habitación.

Él se levantó y desfiló hacia el baño.

Cuando Anton entró en la cocina había en la mesa panecillos recién hechos y —no pudo dar crédito a sus ojos— tres trozos de pastel de manzana con nata.

—¿Es el cumpleaños de alguien? —preguntó—. ¿O es que es el cincuenta aniversario de vuestra boda?

A pesar de haber dicho aquello, él ya se había dado cuenta hacía mucho de que aquel desayuno fuera de lo normal tenía algo que ver con la mano escayolada de su padre. ¡Probablemente el padre de Anton sufría remordimientos de conciencia por que le hubieran dado la baja por enfermedad y pudiera quedarse en casa!

—¡Qué gracioso! —siseó la madre de Anton.

—¿Nuestro *cincuenta* aniversario de bodas? —dijo riéndose el padre de Anton—. Yo creo que realmente tu cabeza no anda muy bien para las cifras. ¡En otoño celebramos nuestro *décimoquinto* aniversario de bodas!

Anton, para quien aquello no era ninguna novedad, ni mucho menos, agarró complacido un trozo de pastel de manzana.

—Acuérdate de entregar las invitaciones en la escuela —le dijo su madre.

La mirada de ella recayó con disgusto sobre el trozo de pastel. ¡A ella seguro que le hubiera parecido mejor que Anton se comiera uno de aquellos «saludables» bollos de pan integral.

—Sí, sí —dijo Anton.

—No digas sí, sí —repuso ella—. Acuérdate. Ya te va quedando poco tiempo. Al fin y al cabo, tu fiesta es ya este sábado.

—No te preocupes —dijo Anton—. Tengo todo controlado.

Sin embargo, en aquel momento se le cayó del tenedor el trozo de pastel y se espachurró contra las baldosas de la cocina.

—¡Oh, no! —se quejó su madre—. Tus modales en la mesa son como…, como…

—¿Como los de un Bohnsack? —la ayudó a terminar la frase Anton, riéndose irónicamente con disimulo.

—¡Oye! —exclamó ella indignada.

—Déjale, anda —dijo el padre de Anton—. Voy a limpiar el suelo.

—¡Lástima! —dijo Anton.

—¿Lástima? —repitió su padre estupefacto—. ¿Te parece una lástima que yo me ofrezca a limpiarlo por ti?

—No. ¡La lástima es que tú no estés siempre en casa!

MIEDO A LA ESCUELA

Su padre se rió de buen humor.

—Yo creo que a la larga se me haría muy monótono.

—¿Monótono? —dijo Anton con una risita burlona—. Hoy, por ejemplo, va a ser un día muy emocionante.

—Ah, ¿sí?

—¡Sí! Sobre todo cuando me lleves en el autobús a ver al señor Schwartenfeger.

—Ah, es verdad, tu consulta con el psicólogo. Pero eso de que vaya a ser tan emocionante...

Anton no contestó.

Para él la visita iba a ser incluso muy emocionante, ¡pues quizá volvería a ver a Igno Rante, el paciente misterioso! Aun estando allí, sentado a la mesa desayunando, Anton sintió un estremecimiento al pensar en aquella cara pálida y maquillada con sus profundos y sombríos ojos... y en el olor a moho que Igno Rante intentaba tapar con el perfume de lirios del valle.

—¡Brrr! —se le escapó, y se estremeció sin querer.

—¿Es que no te gusta mi desayuno? —preguntó su padre, medio divertido, medio ofendido—. Has dejado el pastel de manzana; sólo te has comido medio panecillo...

—Es…, es por la escuela —dijo Anton.

—¿Por la escuela? —dijo su madre mirándole con una sonrisa sarcástica—. ¡Probablemente te acabas de acordar de que no has hecho suficientes ejercicios para el examen de matemáticas! Y ahora quieres hacernos creer que tienes miedo a la escuela…, ¡con la esperanza de que te dejemos quedarte en casa!

—¿Miedo a la escuela? —fingió no comprender Anton—. ¿Es que eso es una enfermedad?

—Puede ser incluso una perturbación psíquica muy seria —contestó su madre—. ¡Pero tú seguro que no la tienes!

Anton puso un gesto muy digno.

—De todas formas, le preguntaré al señor Schwartenfeger por si tengo ese miedo a la escuela —declaró él. Y mirando de soslayo a su padre añadió—: Podría ser que a mí me diera la baja por enfermedad.

—¿Qué te crees, que estar enfermo es divertido? —repuso su padre.

—¡Sí! —se rió irónicamente Anton—. Con una escayola tan bonita…

Su padre contrajo la boca en una sonrisa cáustica.

—¡Lo principal es no ser un cabeza de escayola como tú!

—¿Cabeza de escayola? ¿Y eso qué es?

—Lo mismo que cabeza-hueca.

—¿La berza hueca?

—¡No, cabeza-hueca! —gruñó el padre de Anton levantándose de mal humor.

MAL AMBIENTE

A media tarde, cuando se marcharon a ver al señor Schwartenfeger, el padre de Anton seguía de bastante mal humor.

Durante todo el tiempo no habló ni una palabra y estuvo leyendo una revista de economía cualquiera que se había comprado de camino hacia la parada del autobús.

El comentario de Anton de que a él le gustaría un tebeo, su padre sencillamente «no lo había oído»

Y encima el viaje duró casi hora y media porque el autobús daba un enorme rodeo por la periferia de la ciudad. Sin embargo, el padre de Anton se había decidido por aquella línea basándose en que así no tendrían que hacer ningún transbordo. Mientras miraba por la ventanilla, Anton intentó imaginarse qué podría esperarle en casa del señor Schwartenfeger. ¿Estaría realmente en la consulta el paciente misterioso? Su corazón se aceleró al pensar en cómo iría a reaccionar su padre ante aquel inquietante hombre vestido de negro.

Por otra parte… al padre de Anton le preocupaba mucho menos que a la madre de Anton todo lo que se refería a los vampiros…

De repente el autobús entró en la calle donde vivía el señor Schwartenfeger. Anton consiguió aún tocar el timbre de parada justo a tiempo.

—Ah, ¿ya hemos llegado? —dijo sorprendido su padre.

—¡Sí! —gruñó Anton.

¡Se preguntó que para qué había ido su padre si luego le dejaba a él toda la responsabilidad! Pero con el mal ambiente que reinaba en aquel momento prefirió no decir nada en voz alta. El autobús se detuvo y se apearon.

—¿Vas a entrar conmigo? —preguntó Anton.

Su padre dudó.

—Hummm, si entro, lo único que haré será estar en la sala de espera.

—A mí no me importa ir solo —aseguró rápidamente Anton—. Y tú puedes esperarme en la heladería, que es mucho más cómodo.

—¿Hay una heladería aquí?

—Sí, más allá. Yo ya he estado una vez con mamá. Sirven un helado muy bueno.

Aquello realmente era una exageración muy grande… Por lo menos a Anton el helado no le había gustado especialmente. Pero él sabía lo mucho que le gustaba el helado a su padre… sobre todo si no estaba la madre de Anton dándole una charla sobre «mantener la línea» o sobre «alimentación sana».

Como él esperaba, la cara de su padre se animó, y sonriendo de buen humor preguntó:

—¿Sirven buenos helados? ¿Crees tú que tendrán también helado de trufa y nuez?

—¡Claro!

Aquello convenció al padre de Anton.

—Entonces te esperaré en la heladería.

Anton sonrió satisfecho.

—Hasta luego —dijo, y se fue hacia la casa en la que tenía su consulta el señor Schwartenfeger.

PSICOLOGÍA

Como siempre, le abrió la señora Schwartenfeger.

—Hoy te has retrasado, ¿eh, Anton? —le dijo recriminándole suavemente.

—Es que el autobús ha tardado una eternidad.

—¡Pasa!

Anton entró. Su mirada se dirigió hacia el perchero, pero, exactamente igual que la vez anterior, estaba vacío.

—¿Soy el único paciente? —preguntó con cautela.

La señora Schwartenfeger asintió con la cabeza.

—Sí, puedes ir ya a la sala de consulta.

Anton cruzó el pasillo y llamó tímidamente a la gruesa y forrada puerta. No ocurrió nada. Volvió a llamar..., esta vez más fuerte. Entonces se abrió la puerta. Lo primero que vio Anton fue el jersey de lana, que se abombaba sobre la enorme barriga del señor Schwartenfeger. Levantó la cabeza y vio el amablemente risueño rostro del psicólogo.

—Ya te estaba esperando —dijo el señor Schwartenfeger invitándole a pasar con un gesto.

—El autobús iba con retraso —le explicó Anton.

Siguió al psicólogo y tomó asiento en la silla que había ante el escritorio. El señor Schwartenfeger se sentó en el sillón giratorio de detrás de la mesa.

Ligeramente decepcionado, Anton vio que la gruesa cartera negra, el programa contra los miedos fuertes, no estaba encima del escritorio del señor Schwartenfeger. ¿Tendría acaso el señor Schwartenfeger prevista una sesión «normal» bajo el lema de «¿qué tal la mano escayolada?», etcétera? ¡No, Anton estaba aquel día demasiado impaciente para eso!

—El programa —empezó por eso a decir sin rodeos— ... He hablado con mis amigos. O mejor dicho: con uno de ellos.

—Ah, ¿sí? —dijo el señor Schwartenfeger rascándose la nariz.

Era evidente que estaba indeciso de si debía hacer primero un par de preguntas «psicológicas»... o si podía empezar a hablar inmediatamente del tema que Anton había iniciado y que, con toda seguridad, le interesaba más que el otro.

—¿Y qué ha dicho tu amigo? —preguntó—. ¿Conoce él a algún vampiro... auténtico?

—Humm, creo que sí —dijo Anton estirando las palabras.

Lo de «él» no respondía con exactitud a la realidad, pues Anton había hablado con Anna; pero eso, naturalmente, no se lo iba a revelar al señor Schwartenfeger.

El señor Schwartenfeger volvió a rascarse la nariz.

—La escuela... —dijo él entonces—. ¿No deberíamos hablar primero de tus amigos de la escuela?

—Bah, con ellos todo va como la seda —contestó Anton.

—Ah, ¿sí? —dijo el señor Schwartenfeger mirándole interrogante en espera de que diera más detalles.

Anton suspiró. ¡Tampoco aquel día se iba a escapar de un poco de «psicología»!

—Bueno, pues el sábado que viene doy una fiesta y he invitado a tres de la escuela —le informó Anton con la esperanza de haber satisfecho con aquello el interés «profesional» del señor Schwartenfeger.

—¿Das una fiesta? —inquirió el señor Schwartenfeger poniendo cara de alegría—. ¿Estás ahora más tiempo que antes con tus amigos de la escuela?

—Sí, jugamos a menudo al fútbol y al hockey.

—¿Y no tienes ningún problema con tus amigos de la escuela del que debamos hablar ahora?

Anton sacudió enérgicamente la cabeza.

—Y con mis otros amigos tampoco tengo ningún problema —añadió rápidamente—. Ellos…, ellos están ya expectantes por ver qué tipo de programa contra fo…, fo…

Anton no recordaba la palabra.

—Contra fobias —le ayudó el señor Schwartenfeger.

—Sí. ¡Por ver qué tipo de programa contra fobias es!

¿VERDAD O MERA INVENCIÓN?

—Ajajá… Conque están expectantes, ¿eh?

El señor Schwartenfeger se reclinó hacia atrás y su sillón giratorio chirrió terriblemente.

—Sí, quieren saber más del programa —declaró Anton.

En realidad Anna no lo había dicho tan claro, pero Anton estaba completamente seguro de que ella preguntaría detalles sobre el programa la siguiente vez que se vieran. ¡Y él entonces quería estar informado!

Anton observó aliviado cómo el señor Schwartenfeger abría los cajones de su escritorio y sacaba la gruesa cartera negra.

—Así que tus amigos quieren saber más —dijo él, que parecía estar muy contento—. ¡Eso quiere decir que ellos conocen a un vampiro!

—¿Conocen? —preguntó vacilando Anton—. Conocer no es la expresión correcta —dijo después.

—¡Pero están en contacto con un vampiro!

La voz del señor Schwartenfeger sonó ilusionada.

—No sólo con un vampiro —repuso Anton… con la intención de picar la curiosidad del señor Schwartenfeger para que le contara todo lo posible sobre su programa.

—¿No sólo con uno?

El psicólogo se quedó mudo durante unos segundos.

Luego su boca empezó a temblar.

—¡O sea que lo que me ha contado Igno Rante podría ser cierto!

El corazón de Anton se puso a latir más deprisa.

—¿Y qué es lo que le ha contado?

—Que en la ciudad hay una familia entera de vampiros, de la antiquísima nobleza transilvana.

—¿De verdad?

Anton sintió cómo la sangre le golpeaba las mejillas.

—Sí, pero él no mantiene relaciones con ellos porque... Bueno, ya te lo he contado: él afirma que no es un vampiro.

—Pero entonces, ¿cómo sabe él lo de la familia de vampiros? —preguntó con voz ronca Anton.

—Bueno, al parecer en esa familia hay una..., eh..., ¿cómo se dice?..., una dama vampiro viuda que le ha cautivado. Al menos eso es lo que él dice.

—¿Una dama vampiro viuda? —repitió Anton.

¡Sólo podría tratarse de tía Dorothee!

—Sí, él la ha estado observando un par de veces desde lejos —contestó el señor Schwartenfeger sonriendo satisfecho—. Pero, para ser sincero —añadió—, yo no me creo la historia de la familia de vampiros. Y ese ridículo guardián del cementerio, Geiermeier, tampoco me ha convencido. Por lo que él dice parece que el viejo cementerio está plagado de vampiros. ¡Pero eso sólo lo ha dicho porque, si no, no habría recibido el dinero para su proyecto de renovación del cementerio!

—Ah, es por eso —dijo Anton fingiendo sorpresa.

¡Qué bien que el señor Schwartenfeger considerara tan poco digno de fiar a Geiermeier, el guardián del cementerio!

—Entonces, ¿a cuántos vampiros conocen tus amigos? —preguntó el señor Schwartenfeger.

—¿A cuántos? —repitió Anton, y se sobresaltó—. A dos —dijo rápidamente—. O... o a tres.

—¡O sea, que a ocho o nueve no! —asintió satisfecho el señor Schwartenfeger—. Ése es justo el problema que tengo yo con Igno Rante. ¿Hasta qué punto puedo creerle? De lo que dice, ¿qué es verdad y qué mera invención?

Hizo una pausa y luego dijo:

—Pero me temo que eso nunca podré comprobarlo del todo. Y por esta razón necesito otros pacientes que, *sin ninguna duda...* —en ese momento, para reforzar sus palabras, dio una palmada en la mesa y Anton se sobresaltó—, *¡sin ninguna duda* sea seguro que son vampiros!

Estrictamente confidencial

Anton carraspeó.

—Mis amigos… —empezó a decir— tienen que saber más detalles sobre el programa.

—¿Más detalles?

—Sí. Sin saber más detalles no quieren hablar con los vampiros que conocen.

—Es que no es tan sencillo, ni mucho menos —repuso el señor Schwartenfeger pasando la mano con gesto inquieto por la gruesa cartera negra—. El programa es muy extenso. Y además… —vaciló—. Además, el programa todavía es secreto —dijo luego—. Y no quisiera que se conozca nada de él ahora, pues si funciona, ¡será una auténtica bomba en el mundo de mi profesión!

—Mis amigos seguro que no le dirán nada a nadie —le prometió Anton.

Sin embargo, el señor Schwartenfeger balanceó escéptico la cabeza de un lado a otro.

—¡Yo preferiría que esos vampiros vinieran directamente a mí…, sin tus amigos como intermediarios!

Anton se mordió la lengua para no reírse. Todo lo serio que fue capaz, repuso:

—Mis amigos, sin embargo, han dicho que sólo pueden hablar con los vampiros cuando tengan más información.

El señor Schwartenfeger suspiró.

—Está bien —dijo—. Para que tus amigos tengan una primera impresión… ¡Pero las informaciones son confidenciales! ¡Estrictamente confidenciales!

Abrió la gruesa cartera… y entonces llamaron a la puerta de la sala de consulta.

Anton supo inmediatamente que sólo podía ser la señora Schwartenfeger. Hasta entonces todas sus sesiones con el señor Schwartenfeger se habían acabado con la aparición de ella. Aquel día, sin embargo, Anton no estaba dispuesto en absoluto a interrumpir ya la sesión de terapia.

—¿Qué pasa? —exclamó el señor Schwartenfeger.

La puerta se abrió cautelosamente y la señora Schwartenfeger asomó la cabeza.

—Ha llegado el padre de Anton —dijo ella. Y luego, susurrando, añadió—: También está ya aquí ese señor. Está esperando en la entrada, en mi cuarto.

—Sí, gracias —contestó lacónicamente el señor Schwartenfeger, y la señora Schwartenfeger cerró la puerta y se marchó.

—Bueno, entonces tendremos que dejarlo para otro día —le dijo lamentándolo a Anton.

—¡Pero un poquito sí que me podría contar usted! —le urgió Anton—. Es que hoy voy a ver a mis amigos y seguro que me preguntan.

—¡Sí que eres testarudo! —dijo el señor Schwartenfeger recostándose en la silla—. Puedes informarles de que para mi programa de desensibilización cada vampiro necesita una gafas de sol.

—¿Unas gafas de sol?

—Sí, y crema solar o aceite solar. Y luego necesitan mucho amarillo.

—¿Dinero?*

—No, el programa es gratis. ¡Necesitamos colores amarillos, amarillos como el sol!

—¿Amarillos como el sol? —repitió Anton—. No sé yo si eso les va a convencer a mis amigos…, digo: a los vampiros que ellos conocen…

El señor Schwartenfeger se había puesto de pie.

—¿Lo ves? Podría estar horas enteras contándote cosas sobre el programa, y al final tampoco te habrías enterado de mucho más. No, tienen que venir aquí los propios vampiros y hacer una sesión de prueba.

—¿Una sesión de prueba? —murmuró Anton.

No podía imaginarse que consiguiera convencer a Anna y a Rüdiger para que fueran al psicólogo a realizar aquella sesión de prueba. Bueno, quizá Anna sí, pero ¿el pequeño vampiro?…

Entonces se acordó de otra cosa:

—¿Y mi próxima hora? ¿Vuelvo el viernes?

*Similitud fonética entre *Gelb,* «amarillo» y *Geld,* «dinero». *(N. del T.)*.

—¿Tú crees que todavía tenemos algo de qué hablar?

—¡Oh, sí!

—Pero ¿no habías dicho que con tus amigos de la escuela todo iba perfecto?

—Eso puede cambiar rápidamente —declaró intrépido Anton.

—Bueno, entonces que te dé hora mi mujer —dijo el señor Schwartenfeger llevando a Anton hacia la puerta de la sala de consulta.

La figura de la ventana

En el pasillo Anton estuvo pensando adónde debía ir primero: si ir a la sala de espera, donde estaba su padre, o a ver a la señora Schwartenfeger. Se decidió por ir primero a la señora Schwartenfeger a que le diera una hora especialmente tarde para el viernes. ¡A ser posible una de las horas para «trabajadores»!

El despacho (una oscura habitación más estrecha que un tubo, en la que cabían justo un escritorio, una silla y un archivo) estaba al lado de la puerta de la casa y originalmente, según creía Anton, debía de haber servido de guardarropa.

«¡Es lo típico una vez más!», había refunfuñado la madre de Anton la primera vez que fue a la consulta. «¡Para su trabajo la señora Schwartenfeger tiene la habitación más miserable!».

«Pero es que ella en su cuarto no tiene que aplicar ninguna terapia», le había contestado el padre de Anton.

Ahora, sin embargo, parecía que había con ella en la habitación un paciente. Cuando Anton miró furtivamente hacia el interior de la pequeña habitación a través de la puerta medio abierta, vio que detrás de la señora Schwartenfeger, que estaba sentada en su escritorio hablando por teléfono, había de pie junto a la ventana una figura vestida de negro que le daba la espalda a ella. Y en la habitación había un olor penetrante a perfume de lirios del valle, mezclado con un ligero olor a moho...

163

Inmediatamente él supo quién era la figura de la ventana: ¡el paciente misterioso, Igno Rante!

Con el corazón palpitándole salvajemente se retiró de la puerta. Ahora veía claro qué era lo que había querido decir aquella indicación que la señora Schwartenfeger había susurrado antes en la sala de consulta: el señor que ya estaba allí, esperando en la entrada, en su cuarto...

En la habitación del señor Schwartenfeger los pensamientos de Anton habían estado sólo centrados en el programa, en las gafas de sol, en el aceite solar y en los colores amarillos como el sol, y por eso ¡las palabras de la señora Schwartenfeger no habían despertado en él ningún recelo!

¿Y ahora? ¿Qué debía hacer ahora? ¿Entrar otra vez e ir al encuentro de... aquel vampiro?

Entonces salió de la habitación la señora Schwartenfeger. Parecía muy preocupada, y cerró la puerta con llamativa rapidez.

—¡Deberías irte a la sala de espera! —dijo ella volviendo nerviosa la mirada hacia la puerta para ver si realmente estaba cerrada.

—Yo... quería una nueva hora —balbuceó Anton.

—¿Una nueva hora?

—Sí, para..., para el viernes. Y que no sea demasiado pronto, porque... antes tengo hockey.

—Miraré en mi agenda —dijo la señora Schwartenfeger—. ¡Y ahora te vas a ir a la sala de espera! —añadió muy decidida.

—Ya voy —contestó él.

Fanático de la psicología

—¡Por fin! —exclamó su padre cuando Anton entró en la sala de espera.

—¿He tardado mucho? —se hizo el sorprendido Anton.

—¡Si tuviéramos que ir en el autobús, desde luego! —contestó su padre—. Afortunadamente he llamado a mamá para que ella nos venga a recoger.

—¡¿Qué?! ¡¿Que has llamado por teléfono a mamá?! —preguntó asustado Anton pensando en el inquietante paciente que estaba en el despacho de la señora Schwartenfeger—. ¿No habrá sido desde aquí?

—No, desde el café.

Anton suspiró aliviado.

—¿Y cómo estaba el helado? —preguntó.

Su padre carraspeó.

—Bueno, ¿sabes?, sólo me he tomado dos…, ejem…, dos cafés italianos.

Anton se rió burlonamente.

—¡No te preocupes que no me voy a chivar!

En aquel momento se abrió la puerta y entró la señora Schwartenfeger.

—Desgraciadamente el viernes no tenemos ninguna hora libre —dijo—. Tiene que ser dentro de una semana, a la misma hora que hoy.

—¿Dentro de una semana? —murmuró decepcionado Anton.

Su padre se rió.

—¡Te has vuelto un auténtico fanático de la psicología!

—¿Fanático de la psicología? —repitió Anton—. ¿Eso qué es, alguien como tú?

—¡Más bien alguien como mamá! —contestó su padre riéndose aún más fuerte.

Y efectivamente: la primera pregunta de la madre de Anton fue sobre el psicólogo.

—Bueno, ¿qué tal te ha ido con el señor Schwartenfeger? —preguntó ella en cuanto Anton y su padre tomaron asiento en el coche.

—¿Cómo me iba a ir? —dijo Anton.

—Le ha ido tan bien que Anton no quiere hablar de ello —bromeó su padre.

—¡Casi tan bien como en nuestras vacaciones en el Valle de la Amargura! —le atajó Anton…, con éxito: la divertida sonrisa de su padre desapareció, y, confuso, dijo:

—Yo sólo quería hacer una broma, para darte ánimos.

—Ánimos sí que voy a necesitar —dijo Anton.

Y es que todavía tenía que hacer deberes: dos torres de cuentas y aprenderse aquella larguísima poesía, «El rey de los elfos» de Johann Wolfgang von Schiller..., eh..., ¡Goethe!

A él, realmente, la poesía no le parecía tan mal; pero escribir ocho estrofas para que miles de alumnos tengan que aprendérselas...

EL VAMPIRO DE LOS ELFOS

Cuando llegaron a casa Anton dijo:

—¡Me voy ahora mismo a la cama!

—¿Ya? —se sorprendió su madre—. Pero si mañana empiezas las clases a segunda hora.

—Pero todavía tengo que aprenderme una poesía.

—¿Una poesía? ¿Cuál?

—«El vampiro de los elfos».

—¿«El vampiro de los elfos»?

—Sí…, digo, no: se titula ¡«El *rey* de los elfos»! —se corrigió Anton alegrándose por la cara de perplejidad que puso su madre. Comió aún un bocadillo de queso y luego se fue comiendo a su habitación y abrió el libro de lengua.

¿Quién cabalga a estas horas por la noche y el viento?
El padre con el hijo:
tiene al niño en brazos,
le estrecha bien seguro, le calienta.

«Di: ¿por qué escondes, hijo, con tal miedo la cara?».
«Padre, ¿no ves al rey de los elfos,

el rey de los elfos con corona y manto?».
«Hijo mío, ¡si es un jirón de niebla!».

Los pensamientos de Anton se pasaron a Rüdiger y a Anna. ¿Dónde estarían aquella noche?

Se acercó a la ventana y la abrió de par en par. Hacía una noche suave y sin viento… Parecía hecha especialmente para irse de excursión. En voz baja recitó:

¿Quién vuela a estas horas por la noche y el viento?
Rüdiger, el niño vampiro:
tiene a Anton en brazos,
le estrecha bien seguro, le calienta.

«Di: ¿por qué escondes, Anton, con tal miedo la cara?».
«Rüdiger, ¿no ves al rey de los elfos,
el rey de los elfos con corona y manto?».
«Anton, ¡si es un jirón de niebla!».

Pero por mucho que forzó la vista, no vio ni a Rüdiger ni a Anna, y en el cielo ni siquiera había un jirón de niebla.

PESADILLAS

Mientras Anton seguía asomado a la ventana se abrió la puerta de su habitación.

—¿No estás en la cama? —oyó que decía la voz de su madre.

—Ahora mismo voy —dijo Anton volviéndose lentamente hacia ella.

—¿Qué es lo que han dicho tus amigos de la escuela? —preguntó su madre.

—¿Que qué han dicho? ¿Qué iban a decir?

—¡Pues si el sábado tienen tiempo y ganas de venir a tu fiesta!

—Ah, te referías a la fiesta...

—¿Vienen o no?

—Hummm, probablemente sí.

—¿Qué significa probablemente?

—Bueno, es que... todavía no he hablado con todos.

Y eso también era verdad; por lo menos por lo que se refería a Anna y a Rüdiger.

Por el contrario, los amigos de la escuela, Ole, Sebastian y Henning, ya habían dicho que irían.

—Pues entonces será mejor que les preguntes mañana —dijo su madre—. Para que nos vayamos haciendo a la idea de cuántos vais a ser el sábado.

—¿Que les pregunte?

Anton cerró la ventana.

«¡Sí, si se pudiera!», pensó él. Pero con los vampiros no se podía llamar simplemente a la puerta de su casa y preguntarles: «¿tenéis tiempo?, ¿queréis venir?».

Anton agarró el libro de lengua y lo metió debajo de su almohada.

Su madre sonrió burlona.

—¿Crees tú que eso te va a servir?

—¿Por qué? —se hizo el sorprendido Anton.

—Te digo por experiencia que sólo hay un método para aprenderse una poesía —contestó ella—. ¡Hay que leerla una y otra vez! Pero así como tú lo haces no te vas a aprender la poesía nunca. ¡A lo sumo te golpearás la cabeza con el duro lomo del libro!

—Bah... —dijo desdeñoso Anton—. Eso no me preocupa. Me preocupa más tener pesadillas por su contenido...

—¿Pesadillas? —dijo indignada su madre—. ¿Por lo que pone en tu libro de lengua? Seguro que no. ¡Eso es literatura!

—Por desgracia —suspiró Anton.

Se puso el pijama.

—¡Buenas noches!

—¡Quizá deberías intentarlo leyendo! —observó incisiva su madre.

—¿Leyendo? —dijo Anton cuando ella cerró la puerta y se marchó—. ¡Una idea extraordinaria!

Sacó de la librería *Hombres-lobo: las treces historias más terribles* y, complacido, se metió en la cama.

ÁNGELA SOMMER-BODENBURG

 Angela Sommer-Bodenburg nació en 1948 en las cercanías de Hamburgo (Alemania). Tras estudiar Sociología, Pedagogía y Psicología, fue profesora de Primaria durante doce años.

En la actualidad vive en un rancho de California y se dedica exclusivamente a la pintura y a la literatura infantil, que le ha proporcionado grandes éxitos.

Sus obras se han traducido a treinta idiomas. Los niños de todo el mundo han dispensado tal acogida a su popular personaje «el pequeño vampiro», que son ya dieciocho los títulos publicados, y se puede ver a Rüdiger en los escenarios y pantallas de medio mundo.

Este libro se terminó de imprimir
en los talleres gráficos de
Rógar S. A., Navalcarnero (Madrid),
en el mes de marzo de 2003.